GRE
备考胜经

陈琦 / 主编

浙江教育出版社·杭州

图书在版编目(CIP)数据

GRE备考胜经 / 陈琦主编. -- 杭州 ：浙江教育出版社, 2018.3（2018.9重印）
ISBN 978-7-5536-5870-4

Ⅰ．①G… Ⅱ．①陈… Ⅲ．①GRE－自学参考资料
Ⅳ．①H310.41

中国版本图书馆CIP数据核字(2017)第137883号

GRE备考胜经
GRE BEIKAO SHENG JING
陈 琦 主编

责任编辑	罗 曼
美术编辑	韩 波
封面设计	大愚设计
责任校对	马立改
责任印务	时小娟
出版发行	浙江教育出版社
	地址：杭州市天目山路40号
	邮编：310013
	电话：（0571）85170300－80928
	邮箱：dywh@xdf.cn
	网址：www.zjeph.com
印　　刷	三河市良远印务有限公司
开　　本	787mm×1092mm　1/16
成品尺寸	185mm×260mm
印　　张	13.5
字　　数	352 000
版　　次	2018年3月第1版
印　　次	2018年9月第2次印刷
标准书号	ISBN 978-7-5536-5870-4
定　　价	35.00元

愿GRE为你的青春带来更多可能

扫描获取全部题目

2013年11月13日，微信公众平台"琦叔GRE"（现更名为"微臣留美"，搜索"qishuGRE"关注）上线，并推送了第一篇文章——《GRE填空基础24套之说明篇》。在平台成立的第一天，我们有182名关注者。这182名关注者中，就有戈弋老师，也有后来成为助教的同学。这182名关注者中，有的人与我们缘分深切，相伴至今；有的人和我们缘分较浅，非常遗憾地只能陪伴他们一小段时间。但无论如何，都要感谢这些同学对一个刚刚萌芽的公众号的鼓励、支持与呵护。

创立"琦叔GRE"微信公众平台的初衷是借助新媒体传播的力量，让更多同学认识我们，从而获取有价值的GRE备考资料。其实，这些文章的选题大多来自我们的读者。当我们在课堂上遇到让许多同学都感到困惑的知识点时，微臣团队的老师会在教研中对难点进行分析，确认可读性强的展开方式和例子之后，写成文章，在微信平台上回复给同学；对那些同学反馈的平时总记不住的单词，我们会头脑风暴出一系列生动的例子并推送，方便同学们在地铁上、排队时利用碎片时间进行记忆；有的同学留言希望多了解美国的学术生活，我们就邀请已经在海外就读或毕业的各个专业的微臣留学申请方面的专业导师进行采访，整理成文章，推送给同学们。

就这样，一篇篇地写，一篇篇地更新，从2013年11月13日到今天，我们的微信平台没有一天"断档"，没有一期"空窗"。正是这份坚持，让我们走过了四年，见证了无数类似账号的昙花一现。四年来，我们积累了6.1万关注者，1461次推送，共计1524篇文章。而这种针对读者进行写作的方式与坚持不懈做好一件事的精神品质，恰恰构成了微臣教师最重要的精神气质。

在我们1500多篇的推送中，有"干货"——涵盖GRE语文、数学、写作方方面面的重点和盲点，方便同学们随时查阅有价值的备考资料；有感悟——在痛苦以至于绝望的备考过程中陪伴各位同学，打上一针鸡血，坚定地走下去；有趣味——介绍微臣老师的"相爱相杀"、填空阅读中的背景文化，给备考的同学一丝慰藉。

这些文章曾经陪伴很多同学度过孤独的考G时光。很多读者留言反馈，每天读我们的文章已经成了备考生活的一部分，甚至很多已经和GRE"分手"、成功拿到美国大学offer的同学，依然默默地在大洋彼岸关注着我们。偶尔看到他们在后台留言，都让人感到丝丝温暖。在这个网络信息爆炸的时代，这群温暖的读者也激励着我们持续把文章写好。

其实，这些文章更见证了我们微臣教师们的成长。从新老师的稚嫩，到了解学生痛点的犀利；从文字啰嗦、不知所云，到简洁清晰；从不知如何下笔，到主动分享有趣的备考内容。随着内容的日积月累和微臣的不断成长精进，部分已经推送的文章需要做出修订和迭代；同时真正有价值的内容也不应随着日期的流逝而翻页，必须不断回顾总结。我们在不断为同学们呈现新内容的同时，也需要对过去的坚持有一个阶段性的交待。基于这样的初衷，我们萌生出编写《GRE备考胜经》的想法，将微信平台中的经典文章集中收录。一方面，我们希望课堂上有价值的内容可以沉淀下来，成为文字，而不是仅在口头表达中一带而过；另一方面，对不断困扰同学们的知识点，我们希望通过书面的形式清晰地拆解、呈现出来，方便同学们反复查阅。

《GRE备考胜经》的编写不亚于一次再创作。我们从往期的1524篇稿件中逐篇筛选，将筛选出的稿件进行内容的校对和扩充。编辑稿件的时间正值课程繁忙的暑假班，老师们只能利用晚上的时间集中教研修改。但正是校对稿件的契机，使得我们把教学上的新体会及时地总结下来，融合到文章当中；也使得我们在密集授课、大量输出的过程中再次充电。

《GRE备考胜经》的书名中用了"胜"字，这也是我们对大家备考和申请的美好期待，希望这本书的内容，能给你战胜GRE的勇气，在备考中，赢得属于自己的胜利。

最后，真诚地希望翻开本书的你，获得的不仅仅是GRE。

编者

"琦叔GRE"（现更名为"微臣留美"）微信公众平台自2013年11月13日正式上线起，笔耕不辍，每日推送，已经推送文章1500余篇。《GRE备考胜经》中收录的142篇文章和扫描二维码阅读的多篇学生备考心得，则是经由微臣教师团队将以往所有推送进行分类筛选、修改、润色和再创作之后得到的。

本书共分成8个部分：

● 词汇短语：共收录文章31篇。内容包括GRE语文部分常考的单词含义、用法以及易混词的辨析等。

● 填空：共收录文章14篇。内容包括用于检测同学们做填空题能力的"考前必会填空题"系列、填空题常见做题技巧，以及微臣团队创造性改编的七空题、八空题和十空题等。

● 阅读：共收录文章36篇。其中前16篇为阅读中常见的语言知识点介绍，包括阅读中常见的句内句间关系标志词、语法难点以及常见短语句式的理解方法等；后20篇则总结了GRE阅读常见的各类题型做题原则和方法。

● 写作：共收录文章19篇。内容包括GRE写作中的direction的重要性和应对方法，Issue和Argument的常见写法以及中国学生写作时常犯的错误总结等。

● 数学：共收录文章6篇。该部分主要目的在于帮助考生回顾并巩固GRE数学中常考到的难点、易错点以及容易被忽略的知识点。

● 背景知识：共收录文章19篇。内容涵盖GRE语文部分常考的女权、少数族裔、文学等题材的背景介绍以及填空题题源解析等。

● 留学申请：共收录文章17篇。内容分别从工科、理科、商科和文科四个学科的角度讲解了留学申请的重点和注意事项。

● 学生备考心得：该部分可以通过扫描书中的二维码阅读。这些文章均来自于参加过微臣线上或线下课程的学生。这些学生中有利用业余时间备考的工作族，有渴望突破自己的全职妈妈，有一战便取得330+的"大牛"，也有屡败屡战、最终取得理想成绩的逆袭者。在这些文章中，有的分享了自己的"高分干货"，有的对自己一路走来的心路历程娓娓道来，还有的讲述了自己备考过程中的感悟和思考。

本书有多种用法：

1. GRE的入门读本

书中收录的百余篇文章涵盖了词汇、填空、阅读、写作、数学以及背景知识等实用备考内容。这些"干货"基本可以打消刚刚开始备考GRE的考生在基础知识方面的疑虑。因此，在正式进入高强度的GRE题目练习之前，强烈建议考生将本书通读一遍，提前预知并扫清未来备考路上的障碍。

2. 工具书

本书所涉及的内容大多数来自微臣教师团队在备课和授课过程中所发现的问题，各位考生在备考时也很有可能遇到这些问题。将本书当作工具书一样随时查阅，可以快速解答同学们在备考过程中的疑惑。

3. 休闲读物

书中收录的文章篇幅大都不超过1000字，同学们利用课间等碎片化时间，便能读完一篇文章，增长知识，拓展视野，保持备考状态。

4. 励志读物

学生备考心得所收录的故事会从各方面给考生以鼓励。当你面对厚厚的词汇书，犹豫要不要开始备考GRE时，这些故事的作者在备考时的所想所获会让你立刻下定决心投入备考；当你面对满篇错题想要放弃时，他们就像是一个个前辈陪在你身边，为你答疑解惑；当你对未来感到迷茫时，这些过来人的故事会为你指明方向。

书中的例题与练习题目，均可通过扫描相应位置的二维码获取。

《GRE备考胜经》并不是长篇大论地针对特定题型的"术"的训练用书，而是从"道"的高度，从GRE备考的各个方面来为考生扫清障碍。希望《GRE备考胜经》可以在你备考过程中常伴左右。

目录

Part 1 词汇 / 短语

Part 2 填空

Part 3 阅读

Part 4 写作

Part 5 数学

Part 6 背景知识

Part 7 留学申请

Part 3

词汇 / 短语

感谢自己做了对的决定，2016 年寒假的第一天选择在微臣的教室里度过。比起美剧和微博，还是 GRE 和寒假更配哦！

——李一鸣

南洋理工大学，微臣新加坡班

2017 年 7 月 7 日 GRE 考试

Verbal 170 Quantitative 170

GRE 必背词汇——anachronism

有这样一类单词，它们在 GRE 考试中常常被考到，而在其他考试中并不常见。但是这些"罕见的"词汇，却是想要攻克 GRE 考试的同学们所必须掌握的。所以在"词汇部分"的开篇，就需要认识和掌握这些"GRE 必背词汇"。

以下是 *Webster Dictionary* 对 anachronism 的解释：

a. an error in chronology; especially: a **chronological misplacing** of persons, events, objects, or customs in regard to each other 时代错误

b. a person or a thing that is chronologically out of place; especially: one from a former age that is incongruous in the present 过时现象

这个词有以下两个考法：

考法 1： 时代错误，就是营造一种时间上的**矛盾对立**。比如穿越剧的主人公里穿着现代着装出现在康熙年间，所以这个意思我们可以通俗的翻译成"**穿越**"。

考法 2： **过时**，表示与现在的状况格格不入。这也是比较好理解的。而第二个考法也是考试中出现的频率更高。

下面我们用具体题目展示这个词的考法：

①

 答案　AF

 解析　**空格 (i)：**

方程等号：but，反义重复。

强词和对应：but 前面说 Bertha Pappenheim 是一个 noble 信仰的信徒，所以 but 后面应该对她是一个负评价，因此空格 (i) 填入一个负向词，排除 B。保留 A、C。

空格 (ii)：

方程等号：and，同义重复。

强词和对应：and 前面说 Bertha Pappenheim 越来越过时（out of step）了，所以 and 后面应该填入她过时之后带来的结果，填入一个负向词。选项中只有 F 的 alienated from（疏远）是一个负向词，所以选 F。同时因为 out of step 对应 A 选项的 anachronistic，所以第一空排除 C，答案选 AF。

②

答案　BE

解析　方程等号：冒号，同义重复。

强词和对应：冒号后面说中世纪记录这里是一个重要的商业港口，但是今天这里却没有港口。

所以这就形成了一组时间上的对立，所以直接选带有矛盾对立含义的词汇，答案选 BE。

针对第二题，有同学会问答案为什么不选 DF，表示"难题"？虽然这组词代进去很通顺，但是这里已经加入了之前的"脑补"——"过去有，现在没有"是很难解释的，所以是一个难题。但是题目没有告诉我们是不是需要解释，所以这属于我们自己的过度推断，而这种"脑补"在填空中是致命的错误。**对 GRE 填空来说，答案越直接，越正确。**

以上两个题目展现了 anachronism 这个词在 GRE 考试中的两种考法。通过理解考法，对单词的记忆更深刻。

GRE 必背词汇——belie

琦叔说过，如果 GRE 考试只有 10 个词可以考，那么 belie 就是一定会被考到。甚至可以说，一个 GRE 考生对 belie 的理解程度是衡量其备考程度的不二标准。

以下是 *Webster Dictionary* 对 belie 给出的四种解释：

a.　to give a false idea of something 错误描述

b.　to show something to be false or wrong 证明为假

c.　**to run counter to: contradict** 与…相矛盾 / 对立

d.　**disguise 掩饰**

见到 belie，前后相反

在 GRE 考试中，**"与…对立"**和**"掩饰"**是考得最多的两个意思。针对与 belie 有关的题目，只需要把握住一个关键点：**belie 前后的属性相反**。

具体可以有两种考法：

考法 1：　当句子中出现 belie 时，暗示要找一组反义词。

考法 2：　当句子中出现两个截然相反的特征时，可以填入 belie 连接。

下面用具体题目展示这个词的考法：

练习题目

①

答案 CF

解析 **空格 (i)：**

方程等号：冒号，同义重复；belie，反义重复。

强词和对应：belie 在句子中出现，根据考法 1，暗示要找一组反义词，所以 classical tragedy 的属性与 modern tragedy 的属性相反。冒号后指出，modern tragedy 的属性是 austere and stripped down，可以推出 classical tragedy 的属性是 not austere。第一空中只有 C 选项 multifaceted（多方面的）符合这个性质，因此选 C。

空格 (ii)：

方程等号：so...that... 同义重复；nothing 取反。

强词和对应：第二空，由 so...that... 结构可知，compressed 与 "nothing _____" 应为同义，因此 compressed（简洁的）与第二空取反，所以 F 选项 "不相干的" 为正确选项。答案选 CF。

②

答案 B

解析 **空格 (ii)：**

方程等号：despite，反义重复。

强词和对应：分号后面的 despite 为线索词，逗号前有 intriguing 和 praise，逗号后应当与之相反，所以第二个空是 intriguing 和 praise 的反义词，填入一个负评价词，所以选 platitudes（陈词滥调）。

空格 (i)：

强词和对应：分号后面说这本书是 platitude，因此分号前面 Carruthers 现在的评论应是乏味的，然而后面说 Carruthers 的评论是以一针见血而闻名的，根据考法 2，出现一组对立的特征，可以用 belie 连接表示取反，所以此题答案为 B。

GRE 必背词汇——cynicism

cynic, cynical, cynicism 这组词一直以来都是 GRE 考试考查的重点。但是，一直以来对这组词都没有进行很好的解释。

先看 *Webster Dictionary* 的解释：

cynic：a person who has **negative opinions** about other people and about the things people do; especially : a person who believes that people are **selfish** and are **only interested in helping themselves.**

从这个意思上来看，cynic 翻译成 "犬儒主义者" "愤世嫉俗的人" "玩世不恭的人" 都不够清晰易懂。比较好的翻译参见《柯林斯字典》"持人皆自私论者。"而我们会把这个词翻译成 "唱反调的人" "喷子" 这种更为通俗的释义。

对这组词，需要知道两条原则：

原则 1： 当 cynic 出现在题干中时，注意题目内容一般会出现<u>两种观点的对立</u>，一种是 cynic 的观点，一种是大众观点，但是由于出题方默认考生已经知道大众观点，所以会故意把大众观点隐藏起来。

原则 2： 当 cynic 出现在选项中时，一般展示<u>对人性持一种负面消极的态度</u>，所以反义词是 optimist，positivist, idealist 这种对人性表示积极向上态度的词。

来看题目：

第 1 题，because 后面的 distrust of human nature and human motives 正好符合原则 2，对人性持负面态度，甚至可以看作是 cynic 的英文解释，秒选 B。

第 2 题句子里出现了 cynical，且有冒号，冒号后面 cynic 的观点是 everybody has an angle，即每个人都有自己的看问题的视角，也就是说世界是主观的，客观公正是不存在的。所以冒号前填的就是客观公正是不存在的，答案选 D。根据原则 1，本题的大众观点是：客观公正是存在的。

第 3 题根据 in sharp contrast，推断前后应该是取反对立，而且根据 with its utopian faith 可以确定第一空表示"理想主义"，所以确定答案是 idealism。但是对第二个空选 cynicism 会有很多考生不能理解。根据原则 2——两种观点在对人性的态度上是极端对立的，这里考查的是对人性积极和消极态度的取反。答案选 A。

第 4 题句子中出现了 cynic。根据原则 1，又一次引导两种观点之间对立。大众观点认为：不接受表扬是因为谦虚。而 cynics 认为不接受恭维是因为虚伪，是一种套路，其实想要得到更多表扬。所以应该选 CE。

以上就是对 cynic, cynical, cynicism 这一组单词的讲解，只要牢牢记住两条原则，就可以解决和 cynic 相关的题目。

上述这些题目的详细版本解析可以在《GRE 强化填空 36 套精练与精析》中看到，同时大家可以参考"36套"一书，进行更多 GRE 填空题目的练习。

GRE 必背词汇——dichotomy

dichotomy 这个词的一种翻译叫"二分法"。可是对大家来说，"二分法"这种翻译就是一个符号而已，是根本没有办法用来做题的。那么到底要记住 dichotomy 的什么意思？到底会怎么考？

先看 *Webster Dictionary* 对 dichotomy 的解释：

dichotomy：a difference between two **opposite** things : a division into two **opposite** groups

synonyms：incongruity, paradox, be at odds with

dichotomy 的核心要义在于 opposite，表示对立。所以以后看到这个词就不要再说是"二分法"了，而一定要记成"对立"。

下面用题目来验证一下我们刚才的讲解：

①

答案 D

解析 方程等号：and 平行结构，同义重复。

强词和对应：no necessary link，两者无必然关联。因此 and 之后空格也应该填两者之间无必然关联，填入一个负向词。因此选 D，对立。

②

答案 B

解析 **空格 (i)：**

强词和对应：kindliness（友善）和 savage irony（野蛮的讽刺）构成反义重复。因此空格 (i) 体现 kindliness 和 savage irony 的对立，填入一个负向词。illuminate 解释，mar 破坏，untainted 未受污染，exemplify 体现，dilute 削弱。选项 B 和 E 合适。

空格 (ii)：

方程等号：bespeak 表明，同义重复。

强词和对应：前面说文章既有 kindliness（友善）也有 savage irony（野蛮的讽刺），空格 (ii) 同时体现 kindliness 和 savage irony 两个"对立"特征。imperturbable 淡定的（错），dichotomous 对立的（对），vindictive 报复的（错），chivalrous 彬彬有礼的（错），ruthless 残忍无情的（错）。ruthless 只能体现偶尔展现的 savage irony，而题干中说这个人的善良是占主流的（prevailing），因此正确答案选 B。

通过上面两个题目，牢牢记住 dichotomy 和 dichotomous 一旦出现，含义就是"对立"（opposite）这一考点。

GRE 必背词汇——genre

genre 是常在 GRE 考试中出现的法语词。

以下是 *Webster Dictionary* 针对 genre 一词的解释：

genre: a particular **type or category** of literature or art

这个词的中文解释一般翻译成：种类，体裁；流派；风格。但是只需要记住一点：genre = form。所以看到这个词的时候，只需要找 genre 和 form 的对应。

因为 genre 和 form 同义重复，所以特征必须是一样的，利用这一点可以帮考生解决题目。

下面来看题目：

 ①

答案　D

解析　本题利用上文中的原则：genre=form。form 的特征是 no distinct and recognizable，所以后面的 genre 也应该对应"不独特的、不可识别的"这个特征。后面有了"least susceptible to _____"，所以选择 D。least susceptible to definition = no distinct and recognizable。

②

答案　C

解析　方程等号：最后一个逗号，引导同位语，前后取同。

强词和对应：strict form。第一个空要与 form 同向，因此对应 genre。"little+第二空"应该与 strict 取同，所以第二空填一个表示"不严格"的词。C 选项的 deviation（偏差）等于"不严格"。因此 C 选项正确。

综上所述，应该记住：genre 出现以后要找它的对应词 form，同时 form 所拥有的一切特征 genre 都会继承下来，利用这一点可以帮助我们解决题目。

此外，在阅读中，还考过 genre painting（风俗画），是表现普通人日常生活场景的画作。在记忆它的特点时可以只记一个词"日常"。

在 17 世纪之前，欧洲主流的画作是宗教画，描述的是《圣经》中的宗教故事，一般为教堂所用，比如米开朗基罗就为梵蒂冈的西斯廷教堂绘制了大量的宗教画，众所周知的有《创世纪》和《最后的审判》。

随着艺术的发展，绘画的内容也不只局限于宗教，艺术家开始绘制描绘人物的"肖像画"，描绘外在世界的"风景画"，而当艺术家们把人物、风景结合在画面中的时候，这种对日常生活和场景的描绘便成了"风俗画"，也就是 genre painting。

由于风俗画往往描述的是普通人的日常生活与社会全景，所以这种题材往往不会被自诩高雅的艺术家与评论家看重，所以风俗画的绘者通常默默无闻，我们很少能在艺术史里看到风俗画大师的名字。

这种风俗画长卷在中国也有代表，北宋名画《清明上河图》就是典型的风俗画长卷，描述了当时东京汴梁繁华的风土人情，是我国古代艺术的瑰宝。

GRE 必背词汇——oxymoron

对备考过 GRE，尤其是做过 GRE 填空题的同学来说，有一个表达一定终身难忘，它已经融入了你的骨髓里，内化成了生命的一部分。没错，这个表达就是"令人愉悦的忧伤"。下面就来讲一讲这种名叫"oxymoron（矛盾修饰法）"的表达。

以下是 *Webster Dictionary* 对 oxymoron 一词给出的解释：

oxymoron：a combination of **contradictory or incongruous words**

这个词的关键是把两个看起来很矛盾的词汇放在一起，最典型的有：含泪的微笑、真实的谎言、仁慈的残酷、令人愉悦的忧伤。

正常来说，一个形容词和它修饰的名词方向应该一致，但是矛盾修饰法的存在，却使得形容词和名词之间可以出现方向不一致。

这种表达虽然不多，但是在 GRE 考试中还是经常出现的。**记住：如果出现 oxymoron，题目中一定会有提示，正常情况下不用考虑这种表达。**

关于 oxymoron，请看下面三道例题：

 答案 E

解析 本题很简单，主要是因为词汇难度较低，虽然出现了一个奇怪的词 natsukashii，但是题中给了解释 pleasant sorrow，也就是"令人愉悦的忧伤"，是一个典型的 oxymoron，所以后面既要体现 pleasant，又要体现 sorrow。题目后面出现了 not A but B 结构，A 和 B 对立，并且一个体现"愉悦"，一个体现"忧伤"。所以选择 E。品味樱花是愉悦，哀悼凋零是忧伤。

② 答案 B

解析 这道题难度比上一题稍微大一点。第一空在分号前就可以完成，17 世纪的中国乐园不是想要看起来＿＿＿，唯一的强词就是 pleasure（欢乐），所以第一空可以直接选 cheerful（欢乐的）。分号后面出现了 oxymoron—agreeable melancholy，其中 agreeable 指的是 natural beauty and human glory，所以第二空要体现 melancholy，而且有 result from 引导，前后方向一致，所以填一个负向词汇，选择 transitoriness，表示自然美景和人类荣光的短暂易逝。

③

答案　AF

解析　本题难度较大，关键在于词汇难度高，而且出现了四组矛盾修饰，都需要找出来。题目中给的是 finesse and understatement，所以对应第一空，既要有精湛技艺，又要轻描淡写，这是一组矛盾修饰，所以第一空也要找一个矛盾修饰，所以选 A，"含蓄的炫耀"。第二个给出的是 at once intensely present and curiously detached，所以体现"既要出现，又不出现"的含义，intensely present 对应 draws one's attention，curiously detached 对应第二个空，所以选 F。注意这里的 at once A and B 相当于大家熟悉的 both A and B。

出现的四组 oxymoron 是：undemonstrative panache, draws one's attention as if by seeking to deflect it, finesse and understatement, intensely present and curiously detached.

翻译　Belanger 的舞蹈是一种欲擒（draws one's attention）故纵（seeking to deflect it）般的低调华丽（undemonstrative panache），通过这种轻描淡写的精湛技艺（finesse and understatement），他使得舞蹈看起来若即（intensely present）若离（curiously detached）。

invaluable 到底值不值钱

在生活中，有些东西难免会让我们产生错觉，背单词也是一样。下面将提到几个经过"伪装"的单词，而这些单词的意思往往不同于考生对它们的认知。

首先要明确：前缀决定单词的方向，后缀决定单词的词性，词根决定单词的意思。

请看三个单词：**inflammable；invaluable；impassioned**。将这三个单词拆分成前缀、词根和后缀：

in + **flamm**（flame，火焰）+ able

in + **valu**（value，价值）+ able

im + **pass**（feeling，感情）+ ioned

首先，它们的后缀均为形容词后缀。

其次，99% 的学生会说这三个单词的含义分别为：不易燃的、没有价值的、没有激情的。其实这三个翻译与实际含义截然相反！这三个单词真正的含义分别为：易燃的、价值连城的、激情四射的。

为什么会把这三个单词的词义搞反呢？原因在于它们的前缀是特殊的"**双面前缀**"。"双面前缀"是既可以起到正向作用，也可以起到负向作用的前缀。英文中有 4 个这样的前缀：in-, ob-, re-, de-。正是因为上面三个单词的前缀"in-/im-"在这些词中都是正向的，所以这些单词的含义会让大家产生困惑。

那么，"不易燃的""没有价值的""没有激情的"该如何表达呢？可以将这三个单词的前缀换为"non-""un-""dis-"这些表示"绝对取反"的前缀，组成"nonflammable""unvalued""dispassionate"。

下图可以帮助大家更好地总结本文所讲的内容：

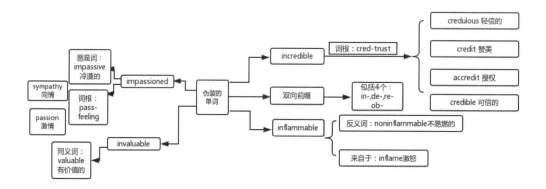

上文提到的关于词根、词缀、双面前缀等内容，均在《GRE 核心词汇助记与精练》（第 2 版）一书中有详细讲解。

plausible 到底是真是假

之前有考生提出这样的问题：单词 plausible 的意思是 "superficially reasonable but often specious"，那么这个单词到底表示 "可信的" 还是 "不可信的"？

Plausible 是 GRE 考试中的 "常客"，但 "看似有理的" "貌似真实的" 这样糟糕的中文释义造成了正确理解这个单词的巨大障碍，让考生总是纠结于它到底是真是假。

先来看 *Webster Dictionary* 中的解释：

plausible: possibly true: believable or realistic

synonyms: credible, believable, probable

antonyms: incredible, unbelievable, improbable, far-fetched, implausible

理解 plausible 的关键在于明白它其实和真假无关，只需要知道它表示 "可信的"，是一个正评价。

真的东西不一定可信（比如你不相信的真相），假的东西未必就不可信（比如让你信以为真的假药），所以只用记住：plausible=believable。

例如：

> The experts could **not believe** that a beginner had created such an accomplished work: they found the idea **implausible**.

在例句中，冒号前面说专家不能相信一个初学者能创造出这样一部完善的作品，冒号后面的 they 指代前面的 the experts，而 idea 指代前面的 the work，implausible 与 not believe 呼应，验证了 plausible=believable。

请看下面的练习题：

练习题目

答案 A

解析 方程等号：冒号，前后同向。

强词和对应：冒号后面的信息说，观众必须要接受的不是一个孤立的难以置信，而是一连串的难以置信。冒号后面用了 not A but B 的结构，理解这句话的关键在于代词 them 指代的是前面的名词 implausibility，所以冒号之后的 3s 版本为"不可信"，冒号前面也应该体现不可信。而冒号前面出现了 lack（缺乏），所以空格填入 implausibility 的反义词，答案选 A，再次验证了 plausible=believable。

翻译 *Vertigo* 这部电影的奇妙之处在于，它能够从一个缺乏最基本可信度的剧情中催生出情感的冲击力：观众必须要接受的不是一个孤立的难以置信，而是一连串的难以置信。

总结：

plausible=believable，可以简单地处理成"可信"的意思。

odd：奇数 / 奇怪的
odds：概率

odd=odds? No!

在热播的美剧《纸牌屋》中有这样一个表达：betting against the odds。这句话可以直译成：下赌注对抗概率。但这明显是不通的。其实，这个表达来自赌马，指的是针对非热门选手下赌注，所以有"冒险"和"押黑马"的含义。那么"odd"在 GRE 中有什么考法呢？

首先，要明确一点：odd 和 odds 是两个不同的单词。odd 是形容词，它的名词形式不是 odds，而是 oddness。

在 GRE 考试中最主要有两种考法：

考法 1： 在 Verbal 部分，它的含义是"奇怪的"，相当于 strange 和 unusual。比如 odd behavior 表示"奇怪的行为"，odd name 是"奇怪的名字"。例如：There is, for example, nothing particularly odd about the town of Peculiar, Missouri. 密苏里州一个叫 Peculiar（奇怪）的小镇却一点也不奇怪。这里做了一个巧妙的文字游戏，此处的 peculiar 和 odd 是同义词，表示"奇怪"。

考法 2： 在 Quantitative 部分，它的含义就是"奇数的"。比如 odd number 是"奇数"，对应的就是 even number（偶数）。可以这样记忆：因为 odd 是 3 个字母，所以是奇数；而 even 是 4 个字母，所以是偶数。数学考试中主要考查与奇偶性相关的知识点。比如两个奇数之和是偶数，两个偶数之和是偶数，一个奇数加一个偶数是奇数等。

而 odds 是一个名词，最常考的含义是"概率"，同义词就是 possibility。 在 GRE 考试中，odds 一般是和一些短语搭配一起出现的。

常见的有以下两个短语搭配：

搭配 1： be at odds with，表示"与…不一致"，是 Verbal 中常见到的一个取反的短语。比如 what he says is at odds with what he does，意思是：他的言行不一致。But Mendelssohn's enduring popularity has often been **at odds**—sometimes quite sharply—**with** his critical standing. 这句话的意思是：但是 Mendelssohn 长久以来的受欢迎程度经常与他在评论界的地位形成鲜明**对比**。

搭配 2： against all odds，表示"尽管概率很低"。例如：Some women do manage to achieve business success against all odds. 尽管概率很低，一些女性还是在商场上获得了成功。

在电影《饥饿游戏》中还有这样的表达：May the odds be ever in your favor. 直观来看就是"祝几率对你有利"，翻译过来就是"祝你成功"。

总结：

odd 和 odds 是两个单词。odd 是形容词，表示"奇怪的"和"奇数的"；odds 是名词，表示"概率"，常以短语形式出现：be at odds with（对立），against all odds（尽管概率很低），上述的两个短语搭配都可以在《GRE 高分必备短语搭配》一书中进行进一步学习。

除了 illness，"病"还能怎样说

除了初中学过的 headache、stomachache、illness、sickness 之外，还有哪些与"疾病"有关的表达？如何用 GRE 级别词汇表达"疾病"？

表示"疾病"的单词有：

malady	malaise	condition
complaint	ailment	complication

malady 这个词来自词根 mal，这个词根的含义为 bad，比如 malefactor 的含义是"坏人"，malediction 的含义是"诅咒"，而 malady 是身体上的"坏"，也就是"疾病"。同时在书面语中，malady 也用来描述社会中存在的弊病，相当于 problem。

同理，malaise 这个单词也来自词根 mal，一般指的是在疾病刚开始的时候身体的不适，相当于 discomfort。同时，这个词也可以表示社会上短时间难以解决的问题，比如 social malaise 的意思是"社会动荡"。

condition 和 complaint 这两个词是考试非常常见的，一般会记住的含义是"状况"和"抱怨"。但是在 GRE 考试中，这两个单词都出现过"疾病"含义的表达，相当于 disease。比如 heart condition 不是"心脏的状况"，而是"心脏病"；liver complaint 不是"肝脏的抱怨"，而是"肝病"。

ailment 一般指一些不太严重的小病，它的动词形式 ail 指因为疾病所带来的痛苦和折磨，ailment 相

当于 trouble。

complication 的本意是"困难"，但是放到医学类文章中则表示"并发症"，比如 complications accompanying diabetes，表示"糖尿病并发症"。

以下是 GRE 考试中常常出现的一些具体的疾病：

diabetes	糖尿病
heart disease	心脏病
osteoporosis	骨质疏松症
broken bone	骨折
malaria	疟疾
tuberculosis	肺结核
tetanus	破伤风

各位考生不需要了解以上单词的发音和拼写，也不用知道这些疾病的症状有哪些，看到它们只需要想到都是"病"的一种，是表示"病"的词汇就够了。

由此可见，在 GRE 考试中，要熟悉一些常见单词的生僻含义。对熟词僻意的掌握要在平时做题的时候多加留心。

fiction=invention?!

你所知道的 invention 是不是只有"发明"的意思？fiction 只有"小说"的意思？这些都是在填空中解题的"强词"，而且更意想不到的是，它们还是一对同义词！

先看下面的题目：

答案　BE

解析　**空格 (i)：**

方程等号：逗号，同义重复。

强词和对应：invention 理解为虚构，和 fictitious 同义重复，逗号后面句意表现历史学家的文章充满了虚构的内容，因此空格 (i) 和 fill with 根据逗号同义重复，填入一个正向词。discourage in 对…感到沮丧，a hallmark of …的标志，exceptional in 在…方面是优异的。因为题干中没有表现对虚构的评价，因此 exceptional 和 discourage 不符题意，正确答案为 B。

关键单词解释：**Invention:** *n.* 虚构 If you refer to someone's account of something as an invention, you think that it is **untrue** and that they have made it up.

fictitious: *adj.* 虚构的 A fictitious character, thing, or event occurs in a story, play, or film but **never really existed** or happened.

空格 (ii):

方程等号：rather than 表示"而不是"，前后取反。

强词和对应：rhetoric 表示华丽的辞藻，和 fictitious speeches 同义重复，指向空格 (ii)，根据 rather than 取反，选"不虚构"。eloquence 口才，evidence 证据，imagination 想象。正确答案为 E。

翻译 **虚构**是古希腊历史学家作品中的标志，他们的文章充斥着对伟大历史人物的纯**虚构的**长篇演讲。激发历史写作的动力是对华丽辞藻的追求而不是真实证据的使用。即使进入 18 世纪，不少的历史学家依然认为他们是被给予许可进行虚构创作的艺术家。

这道题目的本质是 GRE 中最常考查的"真和假"的对立。在对单词的记忆到达后期时，需要从单词本身含义提炼出它的**功能义**。也许这些词的字面意义各不相同，但是放到 GRE 的语境中就是一组"强词"。

fiction 的释义是：A statement or account that is fiction is **not true**. 中文翻译是：不真实。关于"假""抽象""虚构"或者"人为创造出来的"，包含 **invention**，**expressionism**，**surrealism**，**fiction**，**fictitious** 等单词。

再来看看 evidence，它的含义是：Evidence is anything that you see, experience, read, or are told that causes you to believe that something **is true** or has really happened。关于"真"的词，体现"真实存在且无法主观改变的"，包含 **fact**，**evidence**，**historical**，**documentary**。

总结两个要点：

- 单词的真正含义往往不会直接告诉你，需要从语境中理解这些词汇。
- 单词的功能义 / 最简英文释义（《GRE 核心词汇助记与精练》（第 2 版）中黑体下划线的部分）非常重要，要配合《GRE 核心词汇助记与精练》（第 2 版）的精练部分进行训练和记忆!

熟悉而又陌生的 identify

identify 的名词形式 identification 是大家较为熟悉的，表示"身份证明"。旅游时，经常听到机场、酒店的工作人员说："Identification, please?"（能出示您的身份证件吗？）但是，大家还不太熟悉动词 identify 的用法。

identify 作为动词，主要有两个用法：

用法 1：单独使用表示 to **recognize** sb./sth. 识别，发现

这里的"识别出"指的是"本来对某个事物就有一定的记忆或认识，因此再次遇见时能够进行辨认或再认"。identify 作"识别出"讲时，在口语和书面中都很常用，可以替换常用的 find。

The worst thing is the doctor was unable to identify the lump, and he was reluctant to remove it.

翻译 最糟糕的是医生并**不知道**这个小疙瘩是什么，而且他不能随意把它拿掉。

用法 2：如果和 with 搭配在一起，构成 identify with sb./sth. 表示"与…一致"

如果翻译得更加文学化一点，可以翻译成"有共鸣""移情"或者"有同理心"。但不论哪一种翻译，都含有"认为和…是一体"的这层意思。identify 的这一种用法可以用于口语，但更常用于书面语。比如，著名的 *The Economist* 杂志中有一篇关于英国人自我归属的文章，里面用到了 identify with 这个表达。

In fact, it seems that many Brits, given the choice, prefer to identify with the class they were born into rather than that which their jobs or income would suggest.

翻译 事实上，如果能够选择的话，似乎很多英国人都倾向于把自己和自己出生时的阶级**视为一体**，而不是根据工作或收入的显示来对自己进行分类。

下面的例子来自美国非常知名的关于大学生活的杂志《大学生期刊》，讲的是多种族的学生可能在校园里受到的不平等待遇。

Multiracial students can feel marginalized because of their physical appearance. When attempting to identify with the mono-racial group that is part of their identity, biracial students can experience horizontal hostility from the group they want to be accepted by.

翻译 多种族学生常常会因为自己的外貌而感到被其他同学孤立。当他们尝试着融入所属的单一种族群体时，两个种族的学生常常可以感受到来自他们希望自己被接纳的群体的敌意。

最后来看一下 identify with 在写作和口语中的应用。想表达"我能够理解作者善意的想法，但因为资源短缺，他 / 她的建议只有被搁置"的意思时，可以用到 identify with。可以这样翻译：While I **identify with** the author's benign intention, his recommendation should be suspended due to absence of resources.

当别人向你诉说一件不幸的事时，你当然可以说"I am sorry to hear that"以表示同情，但也可以用 identify with 来表示"感同身受"。

I can totally identify with you, cuz I've been there too.

翻译 我完全可以理解你，因为我也经历过类似的事情。

本句中，cuz 是 because 的口语说法，I've been there too 字面意思是"我也去过那里"，但实际意思是"我也经历过类似的事情"。这样的表达更能拉近和说话人的距离。

对于这种看似简单但其实大有玄机的基础词汇，在日常的学习中千万不能掉以轻心。对单词的掌握的高境界就是了解这个单词的用法，并且可以在日常的生活或者学术中运用自如。

针对基础词汇掌握欠佳的问题，推荐大家利用《GRE 填空基础 24 套精练与精析》的题目来进行单词的补充和记忆。

还在认为 borne= "过去的熊"?

当大家看到 borne 这个单词的时候或多或少都有些疑惑，心里在想难道 borne 的意思是 "过去的熊"？当然不是！

先给大家补一补高中知识：bear 的过去式是 bore，过去分词是 borne。

borne 可以表示的意思有很多，除了可以充当 bear 的过去分词形式表示 "承担" 外，还有：

① 组成 be borne out（被证实）等短语。

② 构成 -borne 结尾的单词，borne 本身是 GRE 当中常见的形容词后缀，表示 "通过…传播"。

具体例子如下：

① 短语

bear out 证实

> The effects of the mechanization of women's work have not <u>borne out</u> the frequently held assumption that new technology is inherently revolutionary.

🖐 **翻译**　女性工作机械化的影响尚不能证实人们经常持有的一种假设，即新科技在本质上都是革命性的。

② 阅读

只知道 borne 系列的短语是不足以应付 GRE 考试的。在阅读中会经常出现 borne 的另一种形式。

GRE 阅读中曾经出现过的由 borne 组成的词语有：airborne（通过空气传播的）和 wind-borne（风媒传播）。当然，已经知道 borne 的含义时完全可以自己造词，比如通过食物传播的：food-borne。

> One reason researchers have long believed that Mars never enjoyed an extensive period of warm and wet climate is that much of the surface not covered by wind-borne dust appear to be composed of unweathered material.

🖐 **翻译**　研究者们长期认为火星从来没有长期拥有过温暖潮湿的气候的原因是很多没有被风媒传播的灰尘覆盖的表面看起来是由未经风化的物质组成的。

> Only in the Cycas genus are the females' ovules accessible to airborne pollen, since only in this genus are the ovules surrounded by a loose aggregation of megasporophylls rather than by a tight cone.

🖐 **翻译**　只有在铁树种种属的雌性胚珠可以接触到由空气传播的花粉，因为只有这个种属的胚珠是由大孢子叶松散包裹，而不是被紧密球果包裹的。

总结：

borne 和 "熊" 无关，而是 bear 的过去分词，表示 "承担"；构成短语 borne out 表示证实；构成 -borne 结尾的单词，表示 "通过…传播"。

别再把 defend 翻译成 "辩护" 啦

defend 一词在 GRE 阅读的选项当中极为常见，通常出现在句子功能题和主旨题当中，比如：

> The primary purpose of the passage is to **defend** a controversial interpretation of two novels.

如果按照通常所记忆的含义 "辩护" 来理解这个选项的话，也能说通，但是何必用 "辩护" 这一法律术语来增加对单词的理解难度呢？

来看一下 *Webster Dictionary* 中对于 defend 的解释：

a. to fight in order to **keep** someone or something **safe**: to not allow a person or thing to hurt, damage, or destroy someone or something

b. to fight or work hard in order to **keep** (sth. such as a right, interest, cause, etc.) **from being taken away**

c. to speak or write in **support** of (someone or something that is being challenged or criticized)

通过上面三个解释完全可以归纳出 defend 就是 "支持" 的含义。所以，以后做题的过程中见到 defend，就直接翻译成 "支持"，等同于 support，是不会出错的。所以，本篇开头给出的选项可以翻译为：支持了一个对两本小说有争议的解释。

defend 还有两个衍生词：

① **defensible**
考法：*adj.* 合理的 able to **be thought of as good** or acceptable
助记：-ible 表示 "能…的"，d 和 s 可以互换，因此 defensible 可以支持的→合理的

② **indefensible**
考法：*adj.* 不合理的 **not** able to **be thought of as good** or acceptable
助记：in- 否定前缀，-ible 表示 "能…的"，d 和 s 可以互换，因此 indefensible 不能支持的→不合理的

> After all, he was something of a latecomer to the antiwar movement, even though by 1965 he was convinced that the role of the United States in the war was indefensible.

翻译　毕竟，他在某种程度上是一个反战运动的后来者，即使在 1965 年之前他就相信美国在这场战争中扮演的角色是**不合理的**。

最后用一道填空题巩固一下 defend 的用法。

答案　BE

解析　**空格 (ii)：**

方程等号：逗号，前后取同，逗号后面说被一个重要证人的证据所支持，所以第二空是一个正向词，选 E，"正确的"。D 是"不一致"，F 是"错误的"。

空格 (i)：

方程等号：although 和 surprise 同时出现，只取反一次，第一空和第二空取反，选 B，"不可信的"。A 是"可能的"，C 是"有逻辑的"。

翻译　尽管旁观者对于车祸现场的描述最初看起来不可信，但是令人吃惊的是，随着进一步的调查，警察吃惊地发现这一说法是正确的，因为它被一个重要目击者的证据所支持。

总结：

defend=support，表示"支持"；defensible，合理的；indefensible，不合理的。

还原 compete 的"真实素颜"

首先来看一个句子：

He is competing with a very competitive competitor.

如果是考 GRE 的同学们在阅读里看到上面这句话，可能会当场笑出声，因为这句话的难度几乎为负。但是 GRE 考试，对一个单词的考查点当然远不止这么简单，下面就来看 compete 这个单词到底有多少副面孔吧！

Compete 的基本含义是 to **contend** (against) for profit, an award, athletic supremacy, etc, often follow by with，不难看出，compete 的原意是"竞争"，且后面常跟介词 with 搭配。所以在上面的例句中 competing with 就是"竞争"这个意思的进行时表达。

接下来看看下面这两个句子当中，competing 要怎么理解呢？

1. They talked about competing theories of the origin of life.
2. The passage is primarily concerned with citing competing views of an issue.

如果按照上面给出的词义，学生会直接将这两句理解为"他们谈论那些有竞争力的生命起源理论"和"文章的主旨是引用针对一个问题的几种有竞争力的观点"。

其实，在上面两个句子当中，competing 是一个独立的单词，表示"**相互冲突的、相互矛盾的**"，英文释义为 cannot all be satisfied at the same time，常考的同义词是 opposing。并不是"有竞争力的"。

这两个句子应该翻译为：

> 1. 他们谈论那些**相互矛盾的**生命起源理论。
> 2. 文章的主旨是引用针对一个问题的几种**相互对立的**观点

辨清了 compete 和 competing 之后，还有一个问题：到底哪个词表示"有竞争力的"？这个词就是本篇第一个例句中的 competitive。它的含义是：*adj.* determined or trying very hard to be more successful than other people or business。可以理解成"有竞争力的、求胜心切的"。所以例句应该翻译成：他正在和一名劲敌竞争。

虽然这三个单词很常见，但有不少同学会混淆它们的意思。而参加 GRE 这种题量大、时间紧的考试，能了解一个单词的准确词义对考生在短时间内快速答对题目的帮助作用不容小觑。

不认识 qualify，你有"资格"上考场吗

对很多同学来说，qualify 是一个既熟悉又陌生的高频词。在四六级备考阶段，考生记住的含义是"使有资格"，还有它的名词形式 qualification（资格证）。

但是 GRE 考试很少考 qualify 表示"使有资格"的意思，来看下面的题目：

这道题目的难度并不大，方程等号很明显是逗号，强词是 narrow their scope。但是这道题的错误率却很高，原因是很多同学不知道 qualify 的考法意思。

在 *Webster Dictionary* 中，qualify 的英文解释是：to **narrow down** or make less general in meaning，表示"限制"，指的是让一个观点的适用范围缩减，完美对应强词。因此这道题整句话的意思是"在这本书的后半部分，作者努力**限制**她之前做出的声称，好像她意识到了这些声称的不可信并且希望通过缩减声称范围来打消怀疑。"

此外，除了考 qualify 作动词表示"限制"，还会考到它的形容词形式 qualified（有保留的），比如 qualified support（有保留的支持）。所谓"有保留的支持"就是总体上支持一个观点 / 事物，但是没有达到 100% 的支持，这种混合态度特别符合 GRE 文章的批判性思维，所以常常成为阅读态度题的正确答案。

如果在 qualified 前面加上前缀 un-，就变成了 unqualified，"un+V+ed"也是考试中常见的改造一个单词的形式。因为 qualified 表示"有保留的"，那么 unqualified 就是"没有保留的、绝对的"，相当于

absolute, complete。最让人意想不到的是它的同义词是 unalloyed，因为所谓的"没有混合的"，其实就是"纯粹彻底"的含义。例如 unqualified backing 就是"全力支持"。当然，unqualified 也可以表示"没有资格的"，只不过在 GRE 考试中几乎不会考到这个用法。

总结：

qualify 作动词，表示"限制"，相当于 narrow，limit。

qualified 是形容词，表示"有保留的"，最常考的表达是 qualified support（有保留的支持）。

unqualified 也是形容词，表示"绝对的"，相当于 absolute，complete，同义词还有 unalloyed。

最后我们可以造一个有趣的句子：Even if everyone keeps telling you that you are unqualified for the job, you still have my unqualified backing. 把这句话送给各位备考和申请的同学们！

"contemporary" 到底是哪个时代

每当在阅读中遇到 contemporary 这个单词的时候，都会有一个问题困扰着学生：这个单词到底是翻译成"同时代的"还是"当代的"？这个问题非常重要，因为"同时代的"往往是一个过去的时间，而"当代的"表示的是当前，如果判断错误，可能会错误地认为文章出现了时间对比，从而对文章产生误解。

下面是 3 种判断方式：

方式 1：contemporary with（与…同时代）

当 contemporary 与 with 搭配时，是"同时代的"含义，与 with 构成"形容词＋介词"结构倒装，修饰前面的名词。例如：

> An example is Johann Bachofen's 1861 treatise on Amazons, women-ruled societies of questionable existence contemporary with ancient Greece.

解析 contemporary with 形容词结构倒装，修饰 existence。

翻译 其中一个实例就是 Johann Bachofen 在 1861 年论述 Amazons 的论文，Amazons 是一个**与古希腊同期**的由女性统治的社会，但关于这个社会是否存在仍有疑问。

> Countless music professionals contemporary with Mozart explored and promulgated new compositional methods.

解析 contemporary with 形容词结构倒装，修饰 music professionals。

翻译 无数的**和莫扎特同时期**的音乐专家探索并且传播新的作曲方法。

方式 2：contemporary 作名词：同时代的人

当阅读文章中的 contemporary 是名词形式时，那它的含义一定是"同时代的人"。例如：

Most of the scholar's educated contemporaries knew the classics only from school lessons on selected Latin texts.

解析 本句从"contemporaries"这一复数形式中可知是名词词性，因此翻译成"同时代的人"。

翻译 这些学者中的大多数受过教育的**同时代的人**了解这些经典仅仅通过学校精挑细选的拉丁文本课程。

在写作中，表达"莎士比亚同时期的评论家"，不要用 contemporary critics of Shakespeare，可以换成 critics in Shakespeare's time 或者 critics contemporary with Shakespeare。

方式 3：其他情况

如果仅仅知道 contemporary 在某句话中是形容词形式，那么它既有可能表示"同时代的"，也有可能表示"当代的"。具体是哪个含义，可以通过文章上下文来判断。请看下面两个例子：

Bachofen was thus misled in his reliance on myths for information about the status of women. The sources that will probably tell contemporary historians most about women in the ancient world are such social documents as gravestones, wills, and marriage contracts.

解析 本段话第一句是过去式，第二句是将来时，因此第二句中的 historians 一定不会是同时代的，所以这句话中的 contemporary 应该表示"当代的"这一含义。

翻译 如此说来，Bachofen 依赖神话来获取有关女性地位的史料是有误导性的。有关古代世界的妇女的、可能对**当代史学家**最具价值的史料是如墓碑、遗嘱、婚约一类的社会性文献。

In a recent study, David Cressy examines English immigration to New England in the 1630's. Using contemporary customs records, Cressy finds that most adult immigrants were skilled in farming.

解析 本段话第一句可以看出 Cressy 研究的是 1630 年代的移民情况。第二句说他的研究资料是海关记录。既然是海关记录，那么肯定是 1630 年代，也就是过去的记录，因此这句话中的 contemporary 就要理解成"同时代的"而非"当代的"。

翻译 在最近的一项研究中，David Cressy 分析了 17 世纪 30 年代英国人移居新英格兰的活动。Cressy 利用**同时代的**海关记录，发现绝大多数成年移民者具备熟练的农业技能。

总结：

要区分 contemporary 在某句话中的含义，第一步看搭配，若是和 with 搭配，那么就是"同时期的"。第二步看词性，如果是名词，那么一定表示"同时代的人"，如果是形容词就要结合上下文的语境来进行判断，到底是"同时期的"还是"当代的"。

如何一眼识别 otherwise 的意思

词典中针对 otherwise 的解释非常复杂，对 otherwise 不仅有比较多的词性分类，并且不同的词性下却具有相似的含义，最终导致学生在阅读中见到 otherwise 时，往往凭借"语感"凭空猜测它的含义。其实在 GRE 阅读考试中，otherwise 的含义并没那么复杂。

在阅读中理解 otherwise 的含义，只需要先判断 otherwise 在本句话中的成分，再根据是否充当宾语即可得到单词的含义。具体成分与词义的对应如下：

① 充当动词宾语→ something else（别的东西）
② 没有充当动词宾语→按照其他的方式 / 在其他情况下
③ or otherwise 或 and otherwise →翻译时与前面的词取反

请看下面的例子：

In physics, subject and object were supposed to be entirely distinct, so that a description of any part of the universe would be independent of the observer. The quantum theory, however, suggests otherwise, for every observation involves the passage of a complete quantum from the object to the subject, and it now appears that this passage constitutes an important coupling between observer and observed.

解析　suggest 是及物动词，因此判断 otherwise 在这里作动词宾语，于是代入 something else 之意得到本句话的含义。

翻译　在物理学当中，研究的主体和客体被认为是完全分开的，因此对于宇宙任何部分的描述都与观察者无关。然而，量子理论却表明了**别的东西**，因为每一次观察都包含一个完整的量子从客体到主体的通过，并且现在看来这种通过构成了重要的观察者和被观察者之间的联系。

First, the Handlins cannot adequately demonstrate that the White servant's position was improving during and after the 1660's; several acts of the Maryland and Virginia legislatures indicate otherwise.

解析　otherwise 在此处同样为宾语，处理方式同上。

翻译　首先，Handlins 不能够充分的证明 1660 年代期间及以后白人仆人的地位得到了提升；马里兰州和弗吉尼亚州的一些法案表明了**另外的情况**。

> I must emphasize that I am not making a plea, disguised or otherwise, for the exercise of illusionist tricks in painting today, although I am, in fact, rather critical of certain theories of non-representational art.

> **解析** or otherwise 固定搭配，与前面词取反，翻译成"不虚伪的"。

> **翻译** 我必须强调我今天并没有给魔术师的绘画戏法找虚伪的或**不虚伪的**借口，尽管实际上我对于非写实主义的艺术的某些理论持有批评态度。

> It [Anti-Vietnam War Movement] was supported by many who otherwise opposed public dissent.

> **解析** otherwise 是副词，没充当宾语，翻译成"在其他情况之下"。

> **翻译** 它（反越战运动）被很多**在其他情况下**会反对公开不满的人所支持。

需要注意的是，otherwise 不作宾语时，表示"以其他的方式"还是"在其他情况之下"，需要具体语境来理解。比如最后一个例句中的 otherwise 如果翻译成"以其他方式"，则表明这些人一边可以支持反越战运动，另一边又能同时反对运动，但他们不可能同时做两件截然相反的事，所以不能理解成"以其他的方式"。

总结：

见到 otherwise，先判断它所充当的成分，若是宾语，则翻译成"别的东西"，否则翻译成"按照其他的方式 / 在其他情况下"；固定搭配"or otherwise"或"and otherwise"，此处的 otherwise 词义与前面的词取反。

与 "retro-" 相关的三个词

前缀 "retro-" 表示"时间的倒退"，相当于 backward。GRE 考试中常见的以 "retro-" 为前缀的词主要有：retroactive、~~retrograde~~ 和 retrospective。

下面来看看它们在《柯林斯字典》中的解释：

retroactive：可以对未追溯力
retrograde：倒退
retrospective：回顾

1. **retroactive**

    adj. If a decision or action is **retroactive**, it is intended to take effect from a date in the past. （决定或行为）有追溯效力的

> **解析** retro (backward) + act (take effect)+ ive= 在过去的时间里面依旧生效，可追溯的。所谓的"有追溯力"就是说后来颁布的规定对其生效前发生的行为有效力。

举一个通俗的例子，如果大家在买机票的时候，没有即时把积分计入自己的旅行账户中，后期可以通过补登积分的方式把相关积分加入账户，这样的操作叫 retroactive mileage claim。

The retroactive approach provides consistency and comparability between periods and across entities.

> **翻译** 这个**可追溯的**方法为不同时期和不同个体提供了一致性和可比性。

2. **retrograde**

adj./n. A retrograde action is one that you think makes a situation **worse** rather than better. 退化（的）

> **解析** retro (backward) + grade (step)= 向回走，向后退。这个词的主要含义在于现在和之前相比，要差于之前的情况，核心考法就是 worsen。在生活中，我们还会说到一个词"水逆"，意思是"水星逆行"，"水逆"用英文表达就是 Mercury retrograde。

Ironically, Mercury retrograde can have positive ramifications when you least expect them.

> **翻译** 讽刺的是，当你不期待它们的时候，水逆也会有积极的作用。

3. **retrospective**

adj. looking back on, contemplating, or directed to the past. 回顾的

> **解析** retro (backward) + spect (look)+ive= 向回看，回顾。比如说：retrospective exhibition 表示对一个人的回顾展，这个词的名词形式是 retrospect，通常的表达是 in retrospect，表示"回头看"。

In retrospect, Gordon's students appreciated her enigmatic assignments, realizing that such assignments were specifically designed to stimulate original thought rather than to review the content of her course.

> **翻译** 回头看来，Gordon 的学生都感谢她当时留下的谜一般的难题，他们意识到这些题目是特意用来激发他们的创造力，而不是让他们回顾课上内容的。

总结：

retroactive：（决定或行为）有追溯效力的。

retrograde：倒退，比如"水逆"就是 Mercury retrograde。

retrospective：回顾的，retrospective exhibition "回顾展"，in retrospect "回头看来"。

GRE 中"长相奇怪"的词汇

在备考的过程中，大家肯定见过诸如 willy-nilly, topsy-turvy 这样"长相奇怪"的单词。这些单词往往由两个拼写和发音都很接近的部分组成，读起来朗朗上口，令人印象深刻。然而，这些词也往往都是词汇书里没有的单词，虽然很好玩，但是如果不解其意，也没法做题。

首先看下面五个单词：

willy-nilly, topsy-turvy, higgledy-piggledy, hubbub, hodgepodge

它们在 GRE 题目中都有一个共同的考法：乱糟糟。

例如：

> Yet this succession was forced willy-nilly onto the glaciated parts of Northern Europe, where there are partial successions of true glacial ground moraines and interglacial deposits, with hopes of ultimately piecing them together to provide a complete Pleistocene succession.

🖊 **翻译** 然而，这一序列演替却被**胡乱**强加给北欧那些发生过冰川作用的地区，这部分地区只有部分真正的冰川底碛 (ground moraine) 和间冰期沉积物，人们希望能最终将它们拼接起来，以提供一个完整的更新纪演替过程。

> In this topsy-turvy political year, nothing quite seems to be certain.

🖊 **翻译** 在这种**混乱的**政治年代里，没有什么东西是板上钉钉的。

除了上面的五个单词外，还有两个"长相奇特"但并不表达"乱糟糟"含义的词。一个是 hustle and bustle，hustle 和 bustle 这两个词都表示"忙碌"，所以 hustle and bustle 可以翻译成"熙熙攘攘"，比如 the hustle and bustle of modern life 就是"忙碌的当代生活"。另一个是 walkie-talkie，字面上的意思是"可以边说边走的东西"，中文翻译成"对讲机"。

在 GRE 考试中这样的单词虽然出现不多，但一旦出现，未免会给做题时的思路和情绪带来负面影响，所以平时要多留心这些"长相奇怪"的词。

counterpoint 和 counterpart 的区别

counterpoint 和 counterpart 长得很像，导致大家常常会把两个单词搞混，而且两个词的具体含义和用法也常常搞不清楚。

首先看看《柯林斯字典》对这两个单词的解释：

counterpart

n. someone's or something's counterpart is another person or thing that has a **similar function** or position in a **different place**. 对应的人或物

🖊 **解析** counterpart 的含义正如字典中给出的解释一样，从本质上讲是表示"相同"。比如，中西方的某些餐饮品牌，虽然具体吃的东西不一样，但是地位功能一致，都是老百姓喜闻乐见的食品，这就是 counterpart。

Deep-sea valleys are the counterparts of the mountain chains.

> **翻译** 深海里的峡谷**相当于**陆地上的山脉。

Recently researchers have developed the concept of tunneling temperature: the temperature below which tunneling transitions greatly outnumber Arrhenius transitions, and classical mechanics gives way to its quantum counterpart.

> **翻译** 最近，研究者们提出了隧穿温度的概念：在这个温度以下，隧穿效应导致的转化远远多于阿伦尼乌斯转化，古典机理让位于它的量子力学**对应物**（指代隧穿效应）。

counterpoint

n. something that is a counterpoint to something else **contrasts** with it in a **satisfying** way. 令人愉悦的对比

> **解析** **counterpoint** 表示两个完全不同的、构成对立的事物，放到一起时却能产生令人满意的和谐的效果。很多字典中对 counterpoint 还有音乐术语"对位法"的解释。"对位法"是在音乐创作中使两条或者更多条相互独立的旋律同时发声并且彼此融洽的手法。通过"对位法"这层含义，可以对 counterpoint 有一个更直观的了解。

Many critics of Emily Bronte's novel *Wuthering Heights* see its second part as a counterpoint that comments on, if it does not reverse, the first part.

> **翻译** 许多对于 Emily Bronte 的小说《呼啸山庄》的批评家认为它的第二部分，尽管并没有完全的逆转第一部分，但是是对第一部分进行评论的**和谐一致的对立**。

除了上面两个单词外，其余 counter- 做前缀表示相反含义的词汇还有：

counterintuitive

adj. seemingly contrary to common sense（想法、提议等）违反常理的

> **解析** counterintuitive=not intuitive

Scientists made clear what may at first seem counterintuitive, that the capacity to be pleasant toward a fellow creature is a hard work.

> **翻译** 科学家澄清了起初看似**反直觉的**事情——对同类表示友善的胸襟是难能可贵的

counterproductive

adj. something that is counterproductive achieves the opposite result from the one that you want to achieve. 产生相反结果的

🔽 **解析**　counterproductive=not productive（有成效的）

Not only is generous pay unnecessary for success in work, it is counterproductive.

🔽 **翻译**　慷慨付钱对于工作的成功不仅仅是不需要的，而且还**产生相反效果的**。

counterproposal

n. a proposal offered as an alternative to a previous proposal 替代前一个提议的新提议

🔽 **解析**　counterproposal=对之前 proposal 的取反

Lawmakers can then come up with a counterproposal or allow a popular vote on Mr Minder's proposals.

🔽 **翻译**　立法者之后可以提出**替代前一个提议的新提议**或者允许针对 Mr. Minder 的提案进行一次普选。

总结：

"counter-"作为前缀就表示"取反"，只有在 counterpart 中表示"相同"。

classic 与 classical 的区别

classic 和 classical，仅仅两个字母之差就让无数考生十分头疼，"经典的"和"古典的"，到底谁是谁，傻傻分不清楚。要搞清楚这两个词的区别，先看一下 *Webster Dictionary* 的解释：

classic: serving as a standard of **excellence**: of recognized value

classical: of a kind that has been respected **for a long time**

可见，虽然两个词在英汉词典中都有"经典的"含义，但是所反映的侧重点不一样：classical 强调时间久，翻译成"古典的"；classic 强调优秀，翻译成"典型的"。

下面来看几个 GRE 阅读的句子：

About a century ago, the Swedish physical scientist Arrhenius proposed a law of classical chemistry that relates chemical reaction rate to temperature.

🔽 **解析**　本句中 classical chemistry 一般翻译成"经典化学"，但是强调的是时间久远，因此也可以翻译成"古典化学"。

🔽 **翻译**　大约一个世纪之前，瑞典物理科学家阿伦尼乌斯提出的一个**古典化学**法则将化学反应速率与温度联系在一起。

27

Portrayals of the folk of Mecklenburg County, North Carolina, whom he remembers from early childhood, of the jazz musicians and tenement roofs of his Harlem days, of Pittsburgh steelworkers, and his reconstruction of classical Greek myths in the guise of the ancient Black kingdom of Benin, attest to this.

解析 原文并没有对 Greek myths 提出评价，因此在这里对于希腊神话只是中性表达，强调神话的古老和久远，因此在这里作者用了 classical 表示时间久。

翻译 在他对北卡罗来纳州梅克伦堡郡的人们的描绘 (源自于他儿时的记忆)，对哈莱姆区的爵士音乐家和房顶的描绘，以及对匹兹堡的钢铁工人的描绘，和他使用黑人主导的贝宁共和国作为伪装去重现**古典希腊神话**都证实了这一点。

Classical physics defines the vacuum as a state of absence: a vacuum is said to exist in a region of space if there is nothing in it.

解析 此处"经典物理学"并没有明显的感情倾向，说物理学很好，只是说这里的物理学是长期以来被广泛承认的物理学，因此此处使用 classical。

翻译 **经典物理学**将真空定义成一种空无的状态：真空存在于空间中一个什么都没有的区域。

Historically, a cornerstone of classical empiricism has been the notion that every true generalization must be confirmable by specific observations.

解析 此句同样没有对于经验主义的感情表达，因此"古典经验主义"只是说这是长久以来的一种存在，与开头的 historically 遥相呼应。

翻译 从历史角度来看，**古典经验主义**的基石是这样一种观点：任何真实的总结都应当被确切的观察所确认。

In addition, however, Johnson was an innovator in classical music, composing symphonic music that incorporated American, and especially African American, traditions.

解析 classical music 古典乐；classic music 杰出的 / 令人难忘的音乐

翻译 然而，除此之外，Johnson 是**古典乐**的一个创新者，创作了融合美洲，特别是拉丁美洲传统的交响乐。

Photography, however, has developed all the anxieties and self-consciousness of a classic Modernist art.

解析 本句从一篇 GRE 文章中节选出来，主要内容是摄影艺术在艺术门类当中的发展过程，因此本句话中的 classic 应该是有感情色彩的，表示"典型的、优秀的"。

翻译 然而，摄影已经发展了所有**典型的现代主义艺术**的忧虑和自觉。

总结：

classical 强调时间，classic 强调优秀。大家记住了吗?

repudiate, repute, refute, replicate 大辨析

本篇将带大家辨析一组 GRE 考试中的易混词：**repudiate**，**repute**，**refute**，**replicate**。

这组词的第一个词 repudiate 在"再要你命 3000"中有两个含义："否认"和"拒绝"。在记忆这个单词的时候可以做模糊化处理，记住它是一个负向动词即可。repudiate 是一个很正式的表达，多出现在一些涉及法律政治的场合，比如 repudiate violence 就是"反对暴力"，而 repudiate the charge 就是"否认指控"。

稍做改动，把 diate 换成 te，那么 repudiate 就变成了 repute。repute 这个词的含义相当于 reputation（名声），只不过这个单词是单纯的"good reputation"。而这个词经常和一些介词搭配，构成相关短语，比如 a writer of high repute 就是"一位颇负盛名的作家"。而如果和介词 by 构成 by repute 的搭配，表达的含义是"听说"。如果把 repute 这个单词的前缀 re 换成 dis，就变成了 dispute，表示"质疑反对"，其含义类似于 repudiate。

如果把 repute 中间的字母 p 换成字母 f，这个词就变成了 refute，这个词的含义和 repudiate 也类似，表示"否认"。它和 repute 之间可以通过 reputation 这个大家熟悉的单词做形近词的区分。

最后一个词是 replicate，它也是 re 开头，ate 结尾的动词。这个词的关键在于词根"-plic"，表示 fold（折叠），比如 complicate，就是东西都折叠到了一起，所以让局面变得"复杂"。而 replicate 是把一个东西一折为二，所以有"复制"的含义，和它意思一样的还有一个同根词 duplicate，这里的 du 相当于 double，和 re 所表示的 again 类似。

总结：

repudiate 这个词表示负面的动作，如果简化它的词尾变成 te，就变成了 repute（名誉），而无论是把 re 换成 dis 变成 disrepute，还是把 repute 换成 refute 都和 repudiate 类似，表示"否认"。而同样 re 开头，ate 结尾，但是词根是 plic 的 replicate 表示"复制"。

如何通俗地解释看不懂的 GRE 单词

在背 GRE 单词的过程中，很多同学都会被字典中给出的生涩的翻译折磨得头昏脑胀。GRE 确实是一门学术能力考试，但是字典上给出的学究式或文绉绉的翻译并不能帮助考生通过考试。想要考出理想的 GRE 成绩，就需要用通俗的语言来解释这些晦涩的单词。

1. "学究"式翻译

cynic	犬儒主义者	baroque	巴洛克风格的
byzantine	拜占庭的	utopian	乌托邦的
quixotic	堂吉诃德式的	montage	蒙太奇

下面是它们的通俗理解：

cynic： 唱反调的人。用法：常出现在填空题中作为方程等号，前后取反。

baroque： 复杂的，奢华的。来历：巴洛克是代表欧洲文化的典型艺术风格之一，是一种复杂、奢侈与浮夸的艺术。

byzantine： 复杂的。来历：拜占庭艺术融合了古典艺术的自然主义和东方艺术的抽象装饰特质。

utopian： 不切实际的。来历：来自于托马斯•莫尔的名著《乌托邦》（*Utopia*）乌托邦是人类思想意识中最美好的社会。

quixotic： 不切实际的。来历：来自于塞万提斯的小说《唐•吉诃德》（*Don Quixote*），指按理想行事而不顾现实，为梦想而疯狂的做事方式。注意：utopian 和 quixotic 的最简英文释义是 impractical，反义词是 practical，utilitarian 等

montage： 混合物。来历：是一种艺术的拼贴剪辑手法，中文翻译为"蒙太奇"。

2. 文绉绉的翻译

adulate	阿谀谄媚	circumlocution	迂回累赘的陈述
headstrong	刚愎自用的	hysteria	歇斯底里
platitude	陈言滥调	minutiae	细枝末节

通俗解释如下：

adulate	拍马屁	**circumlocution**	话多
headstrong	不听话的	**hysteria**	疯狂
platitude	旧（和 original, innovative 相反）		

以上记单词的方法可以让考生在最短时间内想出通俗的解释来标注单词的含义，并快速掌握单词含义。这样考场上可以提高做题效率，并且带来分数的提高。

这也是《GRE 核心词汇考法精析（第 2 版）》的最大特点：用大家在最短时间内就能反应出的通俗解释标注单词的含义，帮助大家快速掌握单词含义。

反义词的妙用

有的同学会想："我连单词都背不完，哪有时间去记住每个单词对应的反义词？"其实在实际考试中，掌握单词和它的反义词对于做对填空题大有好处。**因为反义词本身就是填空题目中的强词，而强词就是正确选项。**

请看一道选择反义词的题目：

> insularity:
>
> A. overzealousness
>
> B. cosmopolitanism
>
> C. susceptibility
>
> D. willing hospitality
>
> E. knowledgeable consideration

答案 B

解析 insularity 狭隘，overzealousness 过激，cosmopolitanism 见多识广，susceptibility 易受伤害的状态，willing hospitality 热情好客，knowledgeable consideration 精明的考虑。所以"狭隘"的反义词是"见多识广"，答案选 B。

再看下面一道选择题：

答案 B

解析 方程等号：paradox，矛盾，表示逻辑取反。

强词和对应：题干中强词为 cosmopolitan 见多识广的，指向空格，根据 paradox 取反，所以选 B，insular 狭隘的。其他选项：capricious 善变的，mercenary 唯利是图的，idealistic 不切实际的，intransigent 顽固的。

翻译 矛盾的是，在英国维多利亚时期的人民，他们的思想既是狭隘的，同时又见多识广的。

所以，做过了反义词的题目，知道了 insular 的反义词是 cosmopolitan，那么这道填空题就能很快选出正确答案。希望大家在背单词的时候多留心反义词，也建议大家做一些反义词的相关练习。

那些让人过目不忘的 GRE 单词

对现在正在苦背"再要你命 3000"的各位考生来说，估计已经被大量的易混词搞得"死去活来"，背了几百遍，依然不得其意。而词汇书中那些令人过目不忘的单词就像一股清流，成为枯燥的背单词事业中的一番调剂。

过目不忘的单词常见的有两类：长相"奇葩"的单词和中英文发音相近的单词。

1. 长相"奇葩"的单词

GRE 词汇中长相最"奇葩"的当属法语词了。oeuvre（全部作品）、bourgeois（资产阶级的）这些拼写不符合英语单词规律的自不必说，**cliché（陈词滥调）、éclat（辉煌成就）这种字母上有谜之小尾巴（重音符号）的单词**更是令人眼前一亮。你也许至今都无法记住它们的发音，但是对这些"骨骼清奇、面容奇特"的词汇的含义应该是不会忘记的。

那英语中大量的法语词是怎么来的呢？这要从公元 1066 年 10 月 14 日说起。这一天，法国的诺曼底公爵率领军队在黑斯廷战役中击败了英格兰国王哈罗德二世，哈罗德二世在这一天战死。这场战役因而也成了灭国级战役，诺曼底公爵成为英格兰的国王。作为一个法国人，诺曼底公爵便很自然地将大量法语词带入到了英格兰的宫廷之中。在此后的很长时间里，英国宫廷都在说法语，再后来整个欧洲皇室都说法语，甚至俄国皇室也说法语。直到今天，英国女王宴请各国来宾的菜单也都是用法语写就的。**英国人最早使用的单词都是"最土"的词汇**，他们的词汇中甚至连厕所和饭店都没有。英语中的 toilet 和 restaurant 都是法语词。高级一些的词汇，比如 government、state、parliament，以及上面提到的 bourgeois 都是源自于法语。毫无悬念，与音乐这种高雅艺术相关的单词也来自法语，比如 oeuvre（全部作品）、genre（流派）、repertoire（曲库）等。

2. 中英文发音相近的单词

单词中最好背的除了这些长相奇葩的单词外，就要属那些中英文发音很像的单词了。这些单词中，有的是单纯的音译，仅仅通过读音无法直接联想到含义，比如 **chauvinism（沙文主义）、utopian（乌托邦）**，但是有的单词的音译却令人拍案叫绝。比如霓虹灯，英文是 **neon**，翻译成"**霓虹**"，一下就带给人彩虹的感觉，和在夜间五颜六色的霓虹灯非常类似。radar（雷达）也是一个好翻译，因为 radar 的原理就是发射电磁波之后，遇到障碍物被反射回来接收到。而中文中的雷就是电磁波，而被反射回来接收，就是达。

除了这些名词之外，还有一些地名也是翻译的极其优美的。比如在徐志摩的笔下，"佛罗伦萨"就变成了"翡冷翠"。"翡冷翠"确实是一个更好的翻译，一来意大利语中的 **Firenze** 发音和"**翡冷翠**"更接近。另一方面，这个城市中的标志建筑就是发出绿色荧光的教堂，从远处看就像一个巨大的翡翠。还有一个例子就是法国巴黎旁边一个叫 **Fontainebleau** 的小镇，自从被翻译成了"**枫丹白露**"之后，就感觉这个地方极其美丽，光听这个翻译就有动身前往的冲动。

要说起 GRE 词汇中令人拍案叫绝的音译，当属 **hysteria（歇斯底里的）**了。第一次读罢这个单词，再看一眼翻译，一个歇斯底里的人的形象便跃然眼前，终身难忘。

then 的真正用法

作为一个大家喜闻乐见的小学词汇，then 并没有什么难度。尤其是那一句 and then，把我们的思绪直接带回了英语学习的起点。但除了"然后"之外，then 还有句间关系取反的情况，这才是 GRE 备考的重点。

用法 1：那时（=that time）

When he remade Enoch Arden in 1911, he insisted that a subject of such importance could not be treated in the then conventional length of one reel.

> **翻译** 他在 1911 年重拍 Enoch Arden 时坚持认为，如此重要的题材无法在那时很传统的一个盘片的篇幅之内得到充分展现。

用法 2：时任的

During the last mayoral election campaign, then—Mayor Bixby hotly disputed the current mayor's claim that there was widespread corruption in city government.

> **翻译** 在上次市长选举中，时任市长 Bixby 非常激烈地抨击了现任市长认为市政府中广泛存在腐败的这一观点。

用法 3：那么

—I wasn't a very good scholar in school.
—Then why did you become a teacher?

> **解析** 成绩不好和当老师可以构成取反，这里的取反标志便是 why then。

> **翻译** —我在学校时成绩不是很好。
> —那么你为什么当老师呢？"

Historian Maitland observed that legal documents are the best—indeed, often the only—available evidence about the economic and social history of a given period. Why, then, has it taken so long for historians to focus systematically on the civil law of early modern England?

> **解析** 第一句讲法律文件往往是唯一能得到的证据，但是第二句则说民事法律（法律文件的一种）花了很长时间才被历史学家研究，两句的取反便是由 why then 这一结构导致的。

> **翻译** 历史学家 Maitland 认为法律文件是最好的——实际上经常是唯一的——能得到的关于特定时期经济和社会历史的证据。那么为什么历史学家花了如此长时间才开始系统性地研究早期现代英国的民事法律呢？

用 dozen 表示 "十几年" 和 "几十年"

1. "十几年和几十年"

先看一道翻译题：**请翻译 "几年、十几年、几十年和成百上千年"。**

"几年" 可以翻译为 several years 或者 a couple of years，"几十年" 可以翻译为 tens of years，"成百上千年" 则是 hundreds of years。但是好像很难给 "十几年" 找到一个对应的数字。

更准确的翻译将 "十几年" 翻译为 a dozen of years，把 "几十年" 翻译成了 dozens of years。a dozen of 和 dozens of 连用，同时出现两次 dozen 还可以增加语言的气势。

dozen 是 "一打" 的意思，那么 a dozen of years 不应该表示 "十二年" 吗？查阅字典后发现，小小的 dozen 一词其实暗藏玄机：

- **a dozen years**，即 a dozen 后面直接加上名词复数，那么这里的 a dozen 就相当于是 "12"，一个具体的数字，因此 a dozen years 表示 "十二年"。
- **a dozen of years**，即 a dozen 后面加上了 of，那么这里的 a dozen 就是一个虚词，表示 "十几年"。
- **dozens of years**，可以想象成是好几个十二，表示 "几十年"。

2. 习题演练

那么关注与 dozen 有关的词组之间存在的细微差异除了做翻译的时候能够更加精确外，在 GRE 阅读中有什么用途吗？请看一道逻辑单题：

> Last year, Mayor Stephens established a special law-enforcement task force with the avowed mission of eradicating corruption in city government. The mayor's handpicked task force has now begun prosecuting a dozen city officials. Since all of these officials were appointed by Mayor Bixby, Mayor Stephens' predecessor and longtime political foe, it is clear that those being prosecuted have been targeted because of their political affiliations.

解析　本题的大意是说，Stephens 市长因为官员是由前任市长 Bixby 所任命的，所以对他们提起诉讼。然后问下面哪一个选项可以削弱这一观点。解这道题有一个关键的地方便是对 a dozen city officials 的理解。这里的 a dozen 就是**一个很具体的数字，表示 "十二"**。所以文章明确说明 S 市长起诉了十二个官员，而不仅仅是起诉了很多的官员。明白了这点，本题正确选项就很好理解了：Almost all of the officials who have served in city government for any length of time are appointees of Mayor Bixby 的意思是 "几乎所有在市政府工作了无论多长时间的官员都是 Bixby 市长任命的"。

答案　这一选项说明整个市政府几乎所有人都是 Bixby 市长任命的，于是所有人都应该被检举，但是根据原文只有 12 人被检举，该选项削弱了文章的结论，正确。

3. 举一反三

最后总结一下，a dozen + *n.*= 十二个；a dozen of + *n.*= 十几个；dozens of + *n.*= 几十个。

同时，与 dozen 用法类似的数词还有一个：score。这个词作数词，本意是"二十"。因此：a score + *n.*= 二十个；a score of + *n.* = scores of + *n.*= 大量的。

instead = rather，反了你了

有很多同学会有这样一些疑惑：

"老师，rather 取不取反？"

"老师，instead 不是表示'相反'吗？那它应该取反吧？"

针对这些常见的问题，来给大家完整地讲一下 **instead 和 rather 的用法**，希望能够彻底解决大家在这一块的疑惑。

1. rather/instead 单独使用

当 rather/instead 单独使用的时候，它们不取反，一般出现在 **not A; rather/instead, B** 这样的结构中，可以翻译成**"不是 A，而是 B"**。这个结构可以等同于大家熟悉的"not A but B"。

比如：He is not good; rather/instead, he is bad.（他不是个好人，而是个坏人。）这里的 good 和 bad 虽然取反，但是它们的取反是因为 not，而与 rather/instead 无关。

再比如填空题目中有这样一个句子：

Though humanitarian emergencies are frequent features of television news, such exposure seldom galvanizes the public, which rather seems to resign to a sense of impotency.

解析　这句话里 rather 和前面的 seldom 构成了 not A rather B，在这里 galvanize 和 impotency 取反。

翻译　虽然人道主义的紧急事件是电视新闻里的常见特征，但是这种报道**不能刺激**大众，**而是**似乎让大众陷入**无能为力**的境地。

除了 rather/instead 之外，on the contrary 这个短语也有这个用法，可以理解为"而是"，比如 It was **not** a **good** thing; **on the contrary** it was a huge **mistake**.

2. rather than / instead of

当 rather than 或者 instead of 这两个词组出现时，它们的含义为 not，是取反的方程等号。

例如下面这道填空题目：

> Instead of demonstrating the promise of archaeological applications of electronic remote sensing, the pioneering study became, to some skeptics, an illustration of the imprudence of interpreting sites based on virtual archaeology.

解析 在这句话里，instead of 相当于 not，表示前后取反，而前半部分的 promise 前途前景和后半部分的 imprudence 不明智的行为，根据 instead of 构成对立。

翻译 这项先锋性研究**没有**展现出考古学电子遥感应用的**前途**，对于一些怀疑者来说，它变成基于虚拟考古学遗址的解释**不谨慎**的例证。

3. rather+ *adj.* = very

rather 除了上面两个和 instead 类似的用法之外，还有一个独有的用法。rather+ *adj.* = very。以后可以在作文中用 rather 替换 very；同时，还有一个表达可以替换 very，就是 nothing if not。例如：

> By 1950, the results of attempts to relate brain processes to mental experience appeared rather discouraging.

解析 在这句话中 rather 后面加形容词 discouraging，此时 rather = very。

翻译 到 1950 年为止，尝试将大脑过程和精神体验相联系而获得的结果相当令人沮丧。

总结：
① 当 rather 和 instead 单独出现的时候，它们是不取反的，常出现在 not A rather/instead B 的句型结构中，相当于 not A but B。
② 当 rather than 和 instead of 出现在句中的时候，它们表示 not，是取反的等号。
③ 当 rather + adj. = very，还有类似的表达 nothing if not。

GRE 中表示"尽管"的单词

说起含义是"尽管"的单词时，大家可以想起一连串的单词——while，despite，notwithstanding，albeit 等等。表面上看起来它们好像都一样，但其实它们的词性、用法差异很大，稍不留神，在写作中就会出现语法错误。下面来讲 while、notwithstanding 和 albeit 这三个词的区别。

1. while

while 作为连词连接两个句子，有以下三重含义。

(1) 当……的时候
这是我们最熟悉的考法，例如：

> They arrived while we were having dinner.
> 当我们吃晚饭的**时候**，他们到了。

(2) 尽管

相当于 although，表示主句和从句的让步转折，例如：

> While the grandparents love the children, they are strict with them.
> **尽管**祖父母们都爱他们的孩子，但却对他们要求严格。

这里的 love the children 和主句中的 strict with them 取反。

(3) 然而

相当于 whereas，连接并列句，表示两件事物的对比，例如：

> The soles are leather, while the uppers are canvas.
> 鞋跟是皮的，**然而**鞋面是帆布的。

这里的 while 前后连接了鞋的两个不同区域，鞋跟的材质和鞋面的材质形成对比。

后两个用法在写作当中也经常用到，比如写作题库中 Issue 的 106 题所问到的"想象力和知识哪个更重要"，就可以用 while 引导表示对比的两个并列句：Imagination inspires us to explore the unknown world, while knowledge enables us to pave the way to such an appealing realm.

2. notwithstanding

(1) 作介词

notwithstanding 最常见的词性是介词，和它用法类似的是 despite。作为介词，后面应该连接的是名词，例如：

> Notwithstanding differences, there are clear similarities in all of the world's religions.
> **尽管**存在差异，但是在全世界的宗教中有着清晰的相似性。

这里 notwithstanding 后面的词是 difference，是一个名词，而如果这句话变成 Notwithstanding there are difference, there are clear similarities in all of the world's religions 在语法上就是错误的，因为 notwithstanding 没有连词的属性，不能连接两个完整的句子。这在写作中要尤其注意，很多同学一不注意就在 notwithstanding 后面加了一个句子，这时还以为用了一个比 despite 更加高级的词，却不知已经成为扣分点。

(2) 作副词

同时，notwithstanding 还有副词词性，例如：

His relations with colleagues, differences of opinion notwithstanding, were unfailingly friendly.
尽管有意见分歧，他和同事们一直关系融洽。

3. albeit

albeit 是一个大家比较陌生的表示"尽管"的词，它的词性是连词，因为它其实是"although it may be"这个句式的缩写，所以 albeit 和 although, even though 的用法一致，但一般后面跟**介词短语**，例如：

He accepted the job, albeit with some hesitation.
尽管有些犹豫，但是他接受了这份工作。

albeit 相对于 although、even though 而言比较学术、正式，所以在使用时一定要注意语言风格的统一，例如：Some laws are good, albeit with some really small bad points，这句话中 albeit 显得很正式、很书面化，但 good, really, small, bad points 等词就显得很随意甚至口语化，这在语言风格上就出现了不一致，因而可以改成：Some laws are beneficial, albeit with several trifling defects.

GRE 中形容不确切数字的单词

我们先来看两个题目中出现过的句子：

1. The mayor's handpicked task force has now begun prosecuting a dozen city officials.
2. Shergottites crystallized from molten rock less than 1.1 billion years ago (some 3.5 billion years later than typical achondrites).

第一个句子中，a dozen 表示的是"12 个"还是"很多"？第二个句子中 some 3.5 billion years 又表示多少年？其实，这两个表达也是 GRE 阅读中出现过的比较容易造成误解的数字表达。

1. dozen 的用法
① a dozen + n.，即 a dozen 后面直接加上名词复数。这里的 a dozen 就相当于"12"，是一个具体的数字，因此上文中的 a dozen city officials 就表示"12 个市政府官员"。
② a dozen of + n.，即 a dozen 后面加上了 of。这里的 a dozen 是一个虚词，表示"十几个"。
③ dozens of + n.，可以想象成是好几个十二，表示"几十个"。

2. some 的用法
本文的第二个句子中，some 其实是表示**不确定性**，翻译成"大约"，用在数目之前。比如：some 30 miles = about 30 miles = around 30 miles = 30 miles or so。

再看上面的两个例句：

The first mention of slavery in the statutes of the English colonies of North America does not occur until after 1660—some forty years after the importation of the first Black people.

翻译 直到 1660 年奴隶问题才第一次在北美洲英国殖民地的立法中被提及——在第一批黑人到来后的**约** 40 年。

Shergottites crystallized from molten rock less than 1.1 billion years ago (some 3.5 billion years later than typical achondrites).

翻译 Shergottites 结晶于不超过 11 亿年前融化的岩石（比典型的无球粒陨石晚了**大约** 35 亿年）。

如果想要表达精确的数字，除了使用数字，还可以用 dozen、score 等词。如果不想表示精确的数字，可以用 a dozen of 等短语来表示"很多"，也可以用 some 来表示"大约"。

Part 3

填空

GRE 不仅仅是一次痛苦却又酣畅淋漓的砥砺，更是开启世界另一端无尽知识和美景的钥匙。感谢微臣让我拥有了这把神奇的钥匙。

——阎枢成
纽约大学，线上冲刺班学员 / 线下 325 助教
2017 年 4 月 GRE 考试
Verbal 168 Quantitative 170

考前必会的填空题 1

本部分的"考前必会的填空题"系列由六道题组成，以展示高频经典题目思路。一方面为大家提供一个检测自己水平的契机，另一方面也可以作为一剂强心针，帮助同学做最后冲刺。看下面这道题：

答案　AE

解析　**空格 (ii)：**
方程等号：第二个逗号，同义重复。
强词和对应：most well-worn clichés of the genre（这个体裁里最陈腐的论调）和 convention（传统）同义重复。capitulating to 指向空格 (ii)，体现她的写作是屈服于传统的。conform to 遵从，challenged 挑战，established 建立，答案选 E。

空格 (i)：
方程等号：as 引导原因状语从句，表示因为。
强词和对应：后文说当她积极地想要扔掉传统、支持新的热情的深刻模式的同时又屈服于传统的限制。capitulating to 和 cast off 同时指向空格 (i)，Margaret Fuller 的旅行文章想要摆脱传统却又屈服于传统，体现 Margaret Fuller 的文章"令人失望"，填入一个负向词。frustrating 令人沮丧的，enlightening 具有启发性的，exciting 令人激动的，答案选 A。

翻译　品读 Margaret Fuller 的旅行著作是**令人沮丧**的，因为在最恰当的时刻，当她积极地想要摆脱传统，支持一些新颖的、更加富有热情的深刻模式时，她对旅行的记录却还是**遵从**中产阶级对传统旅行故事的描绘，屈服于最陈腐的体裁论调。

点评　这道题目难度为中等，第一空难度稍大。其实第一空完全可以换成像 paradoxical, ironic, surprising 等一系列表示取反含义的单词。而这里的关键在于理解 Margaret Fuller 在写作中的矛盾心态：一方面想摆脱传统，另一方面又屈服于传统。这种纠结的心理在 GRE 考试中的人物性格特征中非常常见。

考前必会的填空题 2

这是一道在考试中多次出现的三空题，题目虽然不长，但是连着三个空都出现在了文章的第一句话，造成了相当的理解困难。

答案　ADG

解析 　**空格 (ii)：**

方程等号：as 表示"正如…"，同义重复。

强词和对应：vantage 是强词，表示优势地位，指向空格 (ii)，根据 as 取同，填入一个正评价词。eminent 杰出的，reactionary 反动的，egalitarian 平等的。选 D。

空格 (i)：

方程等号：句号表示句间同向关系，同义重复。

强词和对应：to 表结果，和 wind up(结束) 对应，因此 forgotten 指向空格 (i)，根据句号取同，体现最后被"遗忘"。obscurity 默默无闻，normalcy 常态，genius 天才。选 A。

空格 (iii)：

方程等号：句号表示句间同向关系，同义重复。

强词和对应：最后一句话由 How 引出疑问句，表示对由成功走向被遗忘的不解。unfathomable 深奥难懂的，cyclical 循环的，mundane 平凡的。正确答案选 G。

翻译 　通往默默无名的旅程，开始于如 Dunsany 一样的杰出的优势地位，它和通往荣耀的道路是一样无法让人理解的。一个具有如此天赋和名誉的作家是如何沦落到被人遗忘的？

点评 　这道题目的难度属于中上等。主要的难点有两个：一是三个空格集中在一个句子中，不好下手；二是第二句采用了反问的手法，一般难以在短时间内理解其含义。在做三空题的时候，不需要按照空格的自然顺序来进行答题，能做哪个空格就先做哪个空格。除此之外，三空题注重对于句间关系的考查，这道题第二句信息完整，是对第一句的同义重复，如果不利用句间关系则很难突破。

考前必会的填空题 3

　　这道题目虽然难度不高，但是和情商、沟通能力还有未来的职业生涯有关，这也是这道题目想表达的重点。

练习题目

答案 　BF

解析 　**空格 (i)：**

方程等号：but 表示转折，前后句意取反。less 取反，两次取反后同向。

强词和对应：relieve 和 resolve 同义重复；frustrations 和 resentment 同义重复，体现人们释放工作中的挫败。surreptitious 指向空格，根据 but 和 less 取反两次后取同，选"偷偷摸摸的"，答案为 B。vexation 恼火，opportunistic 投机取巧的。

空格 (ii):

方程等号：and 前后句意同义重复。less... more... 结构表示"更少的…更多的…"前后两对象特征取反。

强词和对应：空格 (i) 和空格 (ii) 取反，选"不偷偷摸摸的"。equitable 公平的，sincere 真诚的，open 公开的，正确答案为 F。

翻译 人们经常会通过围着饮水机发表偷偷摸摸的评论来减轻他们工作中的挫败感，但是他们如果对他们的问题不采取偷偷摸摸的方式，而是效仿公开的对话，他们能够更好地消除怨恨。

点评 这道题目难度中等偏下，无论是单词还是句子都构不成做题的难点。通过这道题目还想告诉各位同学，职场中的沟通应该采用公开的方式，告知你的上级，因为归根结底，他才是那个真正可以帮助你解决问题的人。吐槽只能宣泄情绪，别无他用。有情绪，找上级，面对面，不隔夜。

考前必会的填空题 4

这道题目应该是一道送分题，它的主要功能正如前面所说，可以起到一定的心理安慰作用，让那些第二天就要上考场的同学不要胆怯，从容应考。

下面就是这道难度为 Easy 的题目：

答案 CD

解析 **空格 (ii):**

方程等号：while 尽管，表示句内取反；not 取反，两次取反后同向。

强词和对应：novel 指向空格 (ii)，根据 while 和 not 取反两次后取同，选"新颖的"。remarkably pioneering 非常具有开创性的，dubiously supported 令人怀疑地被支持，strangely comforting 不可思议令人安慰的。答案选 D。pioneering: not been done before, for example by developing or **using new** methods or techniques.

空格 (i):

方程等号：冒号前后同向，misleading 有误导性的，负向。

强词和对应：空格 (i) 和空格 (ii) 根据 misleading 取反，选"不新"。esoteric 难以理解的，tendentious 有偏见的，derivative 非原创的。选 C。derivative: **not new** or original but has been developed from something else.

翻译 认为 Green 学术研究是非原创的看法是非常具有误导性的：尽管她关于星际粒子的研究不具有原创性，但是她从数据得出的结论是非常具有开创性的。

点评 这道 Easy 难度的题目做完，不知道大家有没有觉得非常轻松愉快呢？在这里想和大家说一下在考场中面对简单题目的心态。在考试中，中等和简单的题目其实应该是我们所能见到的大多数题目，在做到这些题目时，一定不能因为难度低就掉以轻心，不然会吃大亏。这就像我们发现如果是数学加试，同学们的数学成绩往往不大理想，因为看到是数学加试后忘乎所以，没有看到一些题目设计的小陷阱而导致无故失分。难题不全错，简单题全不错，才能在考场上取得高分。

考前必会的填空题 5

这道题目的难度中等偏上。在考试中，这种难度的题目比例是最高的，要求在 1.5 分钟之内完成。

答案 BF

解析 **空格 (i)：**
方程等号：and 前后句意同义重复。
强词和对应：cultural 指向空格 (ii)，根据 and 取同，体现"有文化的"。isolated 孤立的，endangered 濒危的，anthropogenic 人为的。cultural 的含义是：of or relating to a particular group of people and their habits, beliefs, traditions。答案选 F。

空格 (ii)：
方程等号：for example 举例说明，前后句意同义重复。question 质疑，负向。
强词和对应：cultural 指向空格 (i)，根据 question 取反，体现学者质疑"没有文化"，即"和人类无关"。diversity 多样性，naturalness 自然，sustainability 可持续性。同时，在第二句话中提到过去我们认为这些土地是 virgin 的认知是错误的，所以第一句我们应该也是在质疑这些土地的 virgin（属性），virgin 和 natural 对应。natural 的含义是：in a state of nature; uncultivated, as land。答案选 B。

翻译 最近的学者质疑了世界各地热带雨林的自然性。例如，考古学家认为南部亚马逊原始热带雨林的最大的连绵不断的土地在欧洲人接触之前其实就已经变成了一个文化园地，并且西非热带稀树草原森林过渡带的诸多森林岛屿也是人为的。

点评 除了题目中的讲解，还有两个小知识点需要大家注意：

① sustainability 是易错选项，这个词的意思是 the use of natural resources when this use is kept at a steady level that is not likely to damage the environment，体现自然资源可以不断被利用而不损害环境，和题干中的 cultural 无关。

② 题干中有一种表达为 from...to...，一般前面会接的词类似于 change, shift, transform, transit, turn 等一系列和改变相关的词，前后的状态是有差异的。例如题干中 virgin 和 cultural 就根据 transition from...to 取反。

考前必会的填空题 6

这道题的难度级别为 Hard，请先看题目：

答案 CDH

解析 **空格 (i)：**
方程等号：分号，前后句意同义重复。

强词和对应：从分号后一句分析看来，这本书中照片占据了主导位置，而文字只是次要位置，分号前体现这本书的形式和标准学术作品形式的关系。在 the format of standard academic works 中 text（文字）应该占主导地位，因此空格 (i) 体现这本书的形式和标准文学作品的形式"不同"，duplicate 复制，epitome 体现，inverse 对立。A 和 B 选项表示相同，所以 C 选项合适。.

空格 (ii)：
方程等号：逗号，前后句意同义重复。

强词和对应：逗号前描述这种布局对这位严肃的历史学家（前文提到的 author）造成危险，逗号前后同方向，这里的 which 指代 dangers，being 前后一致，因此空格 (ii) 和 dangers 同义重复，负评价。scornful 鄙视的，deferential 毕恭毕敬的，good-natured 好脾气的。D 选项合适。

注释： "Not the least of which" 通常用在表示一个系列事物的名词复数短语之后，为了引起读者注意这个系列中其中一个重要的元素。not the least of which = one of the most important of them，表示强调。

空格 (iii)：
方程等号：破折号，前后句意同义重复。

强词和对应：motivated by 体现学者们的态度的由来，因此空格 (ii) 和空格 (iii) 同义重复，体现学者们对这本书布局的负评价。academic integrity 学术的正直，snobbish elitism 高傲的精英主义，collegial sympathy 学院式的同情。既然学者们存有鄙视的态度，就不可能报以正直或是同情的态度。H 选项合适。

注释： books apparently aimed at the popular market 就指代类似于原文中照片占据主导地位的这类书籍。

把最后一句话的复杂结构拆分一下：

This layout poses many dangers for the serious historian, not the least of which being the scornful reception that academics—motivated partly by snobbish elitism but also by genuine concern over scholarly standards—generally reserve for books apparently aimed at the popular market.

拆分成以下几部分：

1. This layout poses many dangers for the serious historian;
2. not the least of dangers being the scornful reception;
3. the reception is motivated partly by snobbish elitism but also motivated by genuine concern reception over scholarly standards;
4. academics generally reserve for books apparently aimed at the popular market.

翻译 如果没有审视作者在形式上对于这本书作为标准学术作品的对立面的选择，我们就无法正确评估这本书；在这本书中照片占据了中心位置，而文字仅仅是次要的角色。这个布局对这位严肃的历史学家造成了危险，而这种危险之一是被学者们鄙视的对待——这种对待部分上是被一种高傲的精英主义论调所激发，同时也被对学术标准的由衷关注所激发——学术界通常对这种明显以大众市场为导向的书籍持保留态度。

3s 版本 这本书是标准学术作品的对立面，因此受到学术界鄙视的对待。

填空题中的"双胞胎"

有一道反复出现的 GRE 填空题目，它的特殊之处不是复现频率高，而是竟然像双胞胎一样，演化出了两个不同的版本。请看这道神奇的题目：

仔细看会发现两道题的区别有如下三点：
① 两个版本主语的性别发生了变化：版本一是 he，版本二是 she。
② 两个版本中的第二空位置发生了变化。
③ 两个版本中的选项词汇发生了变化。

但按照做题方法，上述的三个变化并没有任何差异。

难点：本题的难点集中在 nothing if not 这个表达上。同学会觉得既有 nothing 又有 not，不知道应该取同还是取反。但其实这个短语非常好理解，nothing 和 not 相互抵消，所以这个短语就是一个"+"。nothing if not 在《柯林斯词典》中的解释为：You use nothing if not in front of an adjective to indicate that someone or something clearly **has a lot of the particular quality mentioned**，也就是"极其，非常"。所以见到 nothing if not 可以当成 very 来处理，或者更好的处理方式就是干脆不看。

空格 (ii)：

方程等号：so，因果关系，同义重复。

版本一强词：forbore to declare his passion 是"克制表达自己的爱意"的意思，说明他是一个克制的人，所以空格选"克制的"。boorish 粗鲁无礼的，circumspect 小心谨慎的，spontaneous 自发的，选 E。

版本二强词：discreet 是"谨慎的"，所以空格体现"谨慎"，pretend 假装，decide 决定，forbore 克制，选 F。

空格 (i)：

方程等号：冒号，同义重复；never，取反。

强词和对应：冒号后面说他 / 她很克制谨慎，但冒号前面有 never，所以空格 (i) 填"不谨慎"的词。各选项的含义：chivalrous 彬彬有礼的，impetuous 冲动的，thoughtful 体贴的，版本一选 B。precipitate 冲动的，tactful 考虑周全的，thoughtful 体贴的，版本二选 A。

翻译 他 / 她不是一个冲动的人：他 / 她非常谨慎，在当下克制表达自己的爱意。

点评 考试中的填空题会进行一些小改变，但是万变不离其宗。掌握句内句间关系，就好像掌握了处理数据的程序。即使题再多，也有办法解决。同学们常常会问"老师，这个题目在考场上会碰到吗？"我们的回答是："掌握了方法，每道题都是原题。"记住，比数据更重要的是程序，比题目更重要的是方法。

填空题中的时间对比

在填空题中，有一类非常重要的方程等号——时间对比。时间对比的原理是时间点的变化使得事物的状态发生了改变，在逻辑上需要取反。时间对比往往会成为突破题目的有力武器。

时间对比的关键词，总的来说有两大类：

1. 与有关时间的表达

比如：once（曾经），now（现在），previously（之前），recently（最近），initially（一开始）等等。这些词在句子中出现，提示时间点发生了变化，逻辑上要取反。例如：

> In a production process that is complex and often unpredictable, roles that <u>start out</u> discretely defined may <u>become</u> quite confused.

这句话中，时间对比的表达是：start out 和 become。start out 表示"刚开始"，相当于 initially；而 become 是"变得"，表示之后的状态。这两个不同时间点对应的状态不同，因此在这里 discretely 和 confused 就构成了取反。因此这句话说得是：在一个复杂而且通常难以预测的生产过程中，那些一开始被我们定义成互不相关的角色也许会变得非常混乱。

很多同学会根据 complex 取同，填出 confused，这种做法是猜对的。因为 confused 在这里的意思是"混在一起的"，反义词是"分开的"，比如 separate，和 complex 无关。

2.时态

因为中文当中没有时态，所以对于句中的时态同学们总是采取一种视而不见的态度，认为只要不影响对文章的理解，只要在写作时不出错，时态也没什么用。但在填空题目中，现在时与过去时的对比，往往就可以揭示出时间上的对立，从而予以帮助大家做题。

> What <u>seemed</u> a quixotic vision no longer <u>seems</u> quite so impracticable.

在这句话中，虽然没有出现明显的时间对比关系词，但是通过 seemed 和 seems 这两个单词的过去时和现在时的比对，也可以确定出现了时间对比。这个设想在过去是不切实际的，而现在这个想法不再不切实际。而通过时间对比和 no longer 的两次取反，强词 quixotic 和 impracticable 取同。

> A transformative scientific idea that emerged in the eighteenth century was the realization that slow, inexorable geological processes follow the basic laws of physics and chemistry. This seems an obvious conclusion in hindsight, but its implication—that geological processes in the distant past must have followed these very same laws—was revolutionary for geologists in the eighteenth and nineteenth centuries.

本句很多同学都可以看得出 but 前后取反，因此 obvious 和 revolutionary 取反。如果删掉 but，本句改为：This seems an **obvious** conclusion in hindsight; its implication was **revolutionary** for geologists in the eighteenth and nineteenth centuries. 此时很多同学依然可以看出取反，因为 in hindsight（马后炮）和 in the eighteenth and nineteenth centuries 时间对比取反。

但是如果本句继续缩短：This seems an **obvious** conclusion; its implication was **revolutionary**. 这时还有几个同学能看得出分号前后取反呢？就是因为 seems 和 was 的时态上发生变化，分号前是一般现在时，分号后是过去时。

最短的句子反而最不容易辨认出取反，越长的句子反而线索越多。因此并不是句子越短，题目越简单。

> Historical research makes two some what antithetical truths that <u>sounded</u> banal come to seem profound: knowledge of the past comes entirely from written documents, giving written words great antiquity, and the more material you uncover, the more contemporary your subject <u>becomes</u>.

本句中 sounded 是过去时，becomes 是现在时，时态上出现变化，需要取反。

总结：

在 GRE 考试中时间对比需要取反。时间对比的表现形式通常有两种：有明显的时间对比标志词；过去时和一般现在时的时态变化。

为什么总做不对六选二

在 GRE 考试中，有一种题型同学们以为自己可以志在必得，这个题型就是句子等价题"六选二"。但事实上越是"六选二"越能体现题目的难度，在实际考试中，Hard 级别的"六选二"往往难度等级为 5。"六选二"的难点主要体现在以下三点：

① 有一对明显的同义词，是干扰选项。

② 有一个在逻辑和语义上符合题目的词，但是没有同义词。

③ 正确选项并不是严格意义上的同义词。

请看一道填空题：

练习题目

答案 AD

解析 方程等号：逗号，同义重复

强词和对应：decision 和 judgment 同义重复。vagaries 指向空格，根据逗号取同，体现"突发奇想"。capricious 善变的，dogmatic 固执的，atrocious 恶劣的，cavalier 随意的，authoritative 令人信服的，cogent 有说服力的。

翻译 管理者拒绝给他晋升，认为他做决定的时候随心所欲，指责他的判断基于突发奇想而不是仔细的事先考虑。

选项中首先有一对同义词是 authoritative 和 cogent，都表示"令人信服的"。但这对同义词是正评价，不符合逻辑。除此之外题目中就没有明显的同义词了。其他四个词都是负面评价，dogmatic（教条的）和 vagary（突发奇想）矛盾。atrocious（残暴的）与题意无关。

重点来看作为答案的两个单词：

capricious：likely to <u>change frequently</u>, suddenly, or unexpectedly. 善变的

cavalier：having or showing <u>no concern</u> for something that is important or serious. 漫不经心的

这两个单词其实并不是严格意义上的同义词，但是它们在这里做了等价答案，是因为本题给出了两个特征：一个是 vagary，一个是 without careful thought。capricious 指人的想法善变，对应 vagary；cavalier 指的是做决定的时候不考虑其他人的感受，对应 without careful thought。 这里就体现了我们曾反复提及的 GRE 考试中在描述事物的时候喜欢给出多特征，挑选其中一个取同或者取反。这里面给出的两个特征分别对应了两个正确答案。

我们也会反复和同学们强调，句子长、空格多的题目不一定难，真正难的往往是单空题和六选二。有些同学往往看到句子长就十分崩溃，看到句子短的题做错了就认为仅仅是单词的问题，这都是阻碍 GRE 成绩提高的误区。

你从未见过的七空题

一直以来，我们认为 GRE 的发展趋势应该是取消对于填空和阅读的单独考查，取而代之的应该是对于阅读文段进行挖空，先填空，然后再做阅读题目。

下面呈现的便是由一个阅读文段改编的七空题。

In conversation with a French journalist in the late 1960s at his studio in Palma de Mallorca, Miró declared: 'I might look clam, but underneath I am ___1___.' Indeed, further analyses of his works reveal them to be simultaneously serene and ___2___, impulsive and meticulous, dream-like and ___3___. These ___4___ within Miró's aesthetic undoubtedly stem from his character and personal history. Interviews and encounters with the artist recorded for film and television also reveal a man who was distant yet kind, silent yet ___5___; a zealous guardian of his ___6___ and, at the same time, a tireless collaborator in collective projects. 'Miró', as his biographer and close friend Jacques Dupin pointed out, 'was at once the most ___7___ and the most constrained of men'.

本题的答案不唯一。参考答案如下：

1. tormented（经受折磨的）　　2. agitated（不安的）　　3. super-real（超现实的）　　4. paradoxes（矛盾）
5. expressive（有表现力的）　　6. privacy（隐私）　　7. spontaneous（自发的）

解析　第一空，可以根据方程等号 but，判断出空格应该和前一句话中的强词 calm（平静）取反，填一个含有"不平静"含义的词语。所以，虽然原文给出的词语是 tormented（经受折磨的），但其他诸如 unsettled, nervous 等词都是能说通的。

这句话其实就是米罗对自己外表和内心的一番矛盾描述。第二句话和第一句话用句号连接，又有 indeed 这个词作为标志，表示第二句话应该顺承前一句，继续描述这样一种矛盾状态。据此，我们将第二空和第三空分别和 serene 以及 dream-like 取反，可以填出 agitated 和 super-real。当然，其他单词，比如 restive 和 realistic，restless 和 secular，都是可以作为第二、三空的答案的。

第二句结束，之后并没有出现表示转折的表达，因此下一句话依旧在说米罗的矛盾状态。These 后面的第四空应该是对前文的汇总和归纳，不难填出 paradoxes（矛盾对立）这个词。其实，这个词可以作为整段话的 3s 版本，即整段话最核心的一个词。而这句话之后的所有句子当中，因为没有出现转折意味的词，也都继续围绕 paradoxes 这个词展开。据此，可以把下文的 silent，collective 和 constrained 分别取反，以此填出第五、六、七空。原文对这三个空给出的版本分别是：expressive（富于表达的），privacy（隐私）和 spontaneous（自发的）。其他类似答案都是可以接受的。

至此所有的空都填完了，整个文段都是在说米罗所具有的矛盾的特征。

⌕ **翻译** 米罗于 20 世纪 60 年代晚期在他 PDM 的工作室中曾和一位法国记者有过一段对话，在对话中米罗说道："我可能表面上很平静，但我的内心却在饱受煎熬。"的确，如果我们细看他的作品，就不难发现这些作品表达的情感既平静又激动，既冲动又谨慎，既如梦如幻又紧贴现实。米罗审美中的这些矛盾显然来自于他的性格和个人经历。在为电影和电视所录制的对这位艺术家的采访和面谈中，米罗的形象既疏离又亲切，既沉静如水又爱表现，既死守着自己的私隐，又孜孜不倦地搜罗着公共的项目。"米罗，"如他的传记作者兼密友 Jacques Dupin 所说，"既是最随心自由之人，又是最深受束缚之人。"

⌕ **点评** 以上的分析，出发点都是 GRE 的填空题。其实，这段文字对写作也很有启示。为了突出米罗身上"矛盾"的这一特质，整个文段从四个维度进行了论证。既有米罗的自述，也有其作品的展现，还有从媒体角度对他的审视，最后又辅以其密友的评价。而每一个维度中都运用了数对表意截然相反的概念对 paradox 一词进行了回归和照应。以一词统摄全段，而全段的字句间又无不渗透出这一词语义的精髓，这种总分兼备，且神形统一的写作方式的确值得学习。

⌕ **背景拓展** 很多艺术作品当中都充满了如米罗作品这般的矛盾。埃舍尔的《现实》和《绘画的手》，呈现出了空间的冲突和虚实；而肖邦的《平静的行板与华丽的大波兰舞曲》，光是名字就已经透露出几丝辩证的意味。这些作品中的对立看似纠错盘结，其实是统一在了艺术家这一创作主体的思想内核里。大家虽然可能受专业知识和个人经历所限而无法直观地体会到这些作品的魅力，但却可以透过文字一窥其奥妙。很多艺术作品的评论看似用词晦涩高深，其实，这些词汇和表达都是 GRE 级别，但也只是 GRE 级别。

词汇有如幽深黑暗的隧道，但当我们终于行完这条隧道，矗立在我们面前的，是文学、艺术以及其他领域的巨大华美的画幅。

用 GRE 十空题走进胡安·米罗

上一篇用一道七空题展示了胡安·米罗在创作时的矛盾纠结心态。本篇承接上一篇，继续来看看这位纠结的艺术大师。

Miró died in Palma on 25 December 1983 and was buried four days later in the Montjuïc cemetery in Barcelona. If his legacy still fascinates us today it is undoubtedly because of his ability to take full advantage of the paradoxes of his life and times. He was able to turn psychological and historical contradictions into a constant source of inspiration to produce works of art that are both deeply social and genuinely individual. As he once declared:

___1___ allows me to renounce myself, but in renouncing myself I come to ___2___ myself even more. In the same way, silence is a denial of noise – but the smallest noise in the midst of silence becomes ___3___.

The same process makes me look for the noise hidden in silence, the ___4___ in immobility, life in ___5___ things, the infinite in the finite, ___6___ in a void, and ___7___ in anonymity ___8___.

This is the negation of the negation that Marx spoke of. In negating the negation, we ___9___.

In the same way, my painting can be considered humorous and even light-hearted, even though I am ___10___.

答案 1. anonymity（无名无姓）2. affirm（确认） 3. enormous（巨大的） 4. movement（运动）
5. inanimate（无生命的）6. infinite（无限的）7. forms（形式） 8. myself（我自己）
9. affirm（确认） 10. tragic（悲剧）

解析 第一句话，因为方程等号 allow 的出现，判断强词表达 renounce myself（放弃自我）应该和空格一取同。因此，可以填出 anonymity（无名无姓）；而第一句话和第二句话之间由 but 连接，也构成取反，因此第二句话应该填上一个表示"不放弃自我"的表达。affirm（确认）是原文给出的词语。同理，第二句话，but 前面的一句话说寂静拒绝喧嚣，那 but 后面的一句话就应该说寂静不拒绝喧嚣，根据语义，第三空可以填出 enormous（大）这个词，but 后面这句话的意思是：即使是最小的声响在寂静之中都会被放大。

综上所述，第一段其实就是在描绘一种矛盾状态。一种自我否认与自我确认的冲突，一种寂静拒绝喧嚣，而寂静又化为喧嚣的悖论。

同理，第二段也在描绘这样一种矛盾，因此，我们可以将 in 后面的所有词全部取反，据此填出第四空到第八空，分别是 movement（运动），inanimate（无生命的），infinite（无限的），forms（形态）和 myself（自我）。

下一段根据 paradox 这一词义的遥远召唤，将 negation 取反，得出 affirm（确认），将其填在第九空上。这里引用了马克思的理论：在否定之否定中，我们完成自我的确认。

同样，虽然最后一个空可能有学生是通过 even though 作为方程等号填出一个和 humorous 或 light hearted 意义相反的词，但如果知道这段话仍然是在照应 paradox 一词的话，第十空的 tragic 一词仍旧唾手可得。

纵观全段，其实都是在描述米罗的一种矛盾纠结的状态。而如果将目光放在语言层面，则不难发现为了描述这样一种矛盾状态，矛盾修饰法（Oxymoron）被反复运用着。矛盾修饰法在英文，特别是英文的文学作品中应用广泛，它不仅能揭示对象的复杂、耐人寻味，同时还读起来朗朗上口，如 expressionless expression（没有表情的表情），careful carelessness（不认真的认真），等等。

其实，中文里面也有矛盾修辞法。如徐志摩在《沙扬娜拉一首—赠日本女郎》里就有一句"那一声珍重里有甜蜜的忧愁"，而这里的"甜蜜的忧愁"在翻译成英文时，也用上了矛盾修辞法，译为"sweet sorrow"。

又如，在《红楼梦》里有这样一句话：宝钗笑道："你的绰号早有了，'无事忙'三个字恰当得很。"这里的"无事忙"就运用了矛盾修辞法，勾勒出宝玉四体不勤、五谷不分的富家公子形象，杨宪益先生在翻译时将其精彩得翻译成："You've already got one," Baochai chuckled, "Much Ado about Nothing is just the name for you." 这里的 ado 是"纷乱，繁忙"的意思。Much Ado about nothing 是一句英文俗语，表示"无事生非，无事忙"。

一篇关于托马斯·哈代的八空题

无论对文科还是理科的同学来说，GRE 考试都是一个了解新知识的平台。通过 GRE 考试，文科生了解了"光亮的超新星为何无法看清"，理科生知道了"波伏娃为什么在美国不受欢迎"。知识就这样一点一滴积累起来。

下面这道八空题展示了英国维多利亚时代最杰出的文学家之———托马斯·哈代（Thomas Hardy, 1840-1928）创作时的状态。

Thomas Hardy's impulses as a writer, all of which he indulged in his novels, were numerous and divergent, and they did not always work together ___1___. Hardy was to some degree interested in exploring his characters' psychologies, though impelled less by ___2___ than by sympathy. Occasionally he felt the impulse to comedy (in all its detached coldness) as well as the impulse to farce, but he was more often inclined to see ___3___ and record it. He was also inclined to literary ___4___ in the several senses of that phrase. He wanted to describe ordinary human beings; he wanted to speculate on their dilemmas rationally (and, unfortunately, even schematically); and he wanted to record precisely the material universe. Finally, he wanted to be more than ___5___. He wanted to transcend what he considered to be the banality of solely recording things ___6___ and to express as well his awareness of the ___7___ and the ___8___.

📝 **答案**　1. in harmony　　2. curiosity　　3. tragedy　　4. realism

5. realist　　6. exactly　　7. occult　　8. strange

　　这篇文章无情地对 Hardy 进行了严厉的批判，甚至让人怀疑他的文学地位，因为 Hardy 是一个无法控制好自己创作冲动的作家。

　　开宗明义，作者在第一句就对 Hardy 给出了评价，说他的创作冲动 numerous and divergent，所以毫无疑问，and 后面应该说这些冲动无法和谐统一，第一空填 in harmony。这句话之后，每个句子都是在围绕第一句在进行详细的阐述，具体描写 Hardy 的创作冲动是如何相互冲突的。比如在第二句话里，尽管 Hardy 没有受到好奇心的驱使，但是他对于探索笔下人物的心理产生了兴趣，在这里 though 和 less 两次取反，interest 和空格二中的 curiosity 形成呼应。而第三句中 but 前后 comedy 和 tragedy 的取反更加明显地体现出 Hardy 的神经质。第四句和第五句两句顺承，而第五句中的赘述只不过为了突出 Hardy 有着现实主义的偏好。第六句为了和前两句构建矛盾冲突，又说 Hardy 不仅仅想要成为现实主义。最后，在作者笔下的 Hardy 想要去 transcend（超越）空格六，而 transcend 和前面的 more than 一致，所以空格四、五、六都是现实主义的同义词，分别填入 realism, a realist, exactly。而最后的空格七和八因为 as well as 与前文取同，表示超越现实，所以填入 occult 和 strange。

　　能见到这样逻辑严谨、语言优美而又不失形式工整的文段，也算是一种美好的人生体验了。当然，一开始看到这种复杂的文段，同学们内心必然是极其痛苦的，而只要坚持读完不放弃，痛苦的体验必定带来成长。

GRE 中的 no more than 表达

　　先看一个例句：

After going on a diet for more than half a year, Uncle Zhang is no more skinny than he ever was.

　　注意到这句话里面出现了两个"more than"，第一个 more than 比较好理解，表示"超过"。那么问题来了，"在超过半年的节食减肥之后"，张叔叔是比之前瘦了呢，还是没瘦呢？

1. more than 的用法

　　① 多于，超过

I've known him for more than twenty years.
我已认识他 20 多年了。

The pain of being ditched by his ex was more than he could stand.

被前任抛弃的痛苦超过了他所能忍受的范围。

② （程度上）不仅仅（取反的方程等号）

He more than smiled, but laughed.

他不仅是微笑，而是大笑。

Newspaper readers concern more than accuracy and prefer to read news that is consistent with their beliefs.

（根据填空题改编）新闻读者在意的不仅仅是准确，他们希望读到和自己想法一致的新闻。

2. no more than 的用法

① no more than 表示"不超过"（=only），强调少，不取反。

He is no more than an ordinary teacher.

他只不过是个普通老师。

Uncle Zhang has no more than two cucumbers for lunch.

张叔叔午餐吃了不超过两根黄瓜。

His premiership, seemingly cast-iron a year ago, is now so vulnerable that even a good day at the office does no more than buy him a few weeks of relief from rebels within his own party.

（根据 GRE 填空改编）他的总理任期一年前似乎还很稳固，但现在却如此脆弱，甚至连执政的一天好日子都只不过是他从党内敌人那里获得的间隙而已。

② 用于比较两件事物时，no more…than 表示对两者都否定，意为"同…一样都不"（=neither...nor）。

Xiaoming is no more richer than Xiaohong.

小明和小洪都不富有。（= Xiaoming is no more richer than Xiaohong is. ）

看一道题目：

本题的方程等号是 but，前后取反，but 前表示这个博物馆收藏了大量解释毕加索作品的资料，这使得我们有一种理解毕加索作品的幻觉。根据 but，后半句应该说我们事实上并没有理解毕加索的作品，他还是很难懂。

选项里出现了两对同义词，一对是 abstract 和 conceptual，都表示"抽象难懂"，另外一对是 transparent 和 understandable，表示"清晰易懂"。如何理解 no more than 呢？

在本题中，no more...than 的结构中 than 后面接一句话，作连词，表示比较级，二者之间做比较。no more 就是 no，取反一次，but 取反一次，空格填 comprehension 的同义词。

no more than 的第一种用法和第二种用法的不同之处在于，第一种用法 no more than 中的 than 是介词，no more than 整体是副词词性，描述单对象，不取反。而第二种用法中 than 是连词，no more 就翻译成"不"。

现在大家应该理解了本文开头的例句 "Uncle Zhang is no more skinny than he ever was" 的意思是"张叔叔和从前一样不瘦"，所以减肥失败了。

GRE 中的 SVO + doing 结构

先来看两个句子：

The little bird eluded the shark, flying toward the sky.
The little bird eluded the shark emerging from the sea.

表面上看这两个句子差别不大，都是 SVO + doing 的结构。但是，第一句的 flying 作为分词结构，修饰的对象是主语 little bird 还是宾语 shark？而第二句中的 emerging，修饰的对象又是谁？

其实通过语义可以判断，shark 是不可能飞的，所以第一句的 flying 是修饰主语 bird；而出现在海里的肯定是 shark，所以第二句的 emerging 修饰的是宾语 shark。

但是，如果句子变成下面这样，我们依旧可以轻松的判断 doing 修饰的对象吗？

Black Fiction surveys a wide variety of novels, bringing to our attention in the process some fascinating and little-known works like James Weldon Johnson's *Autobiography of an Ex-Colored Man*.

我们是否可以通过形式，直接判断 doing 修饰的到底是 S 还是 O 呢？当然可以，二者的根本区别在于逗号，结论如下：

① 在 SVO, doing 结构中，doing 的修饰对象是主句主语 S。
② 在 SVO doing 结构中，doing 的修饰对象是主句宾语 O。

所以在上面的句子中，bring 修饰的主语不是逗号前面的 novel，而是主语 Black Fiction。

在填空里，可以利用这一点，找到对应关系，轻松帮助解题，请大家读一读下面这个句子：

The anthropologist questioned the claim that the Neanderthal remains must represent an immediate family because they belong to the same mitochondrial lineage, noting that some chimpanzees with identical mitochondrial are not closely related.

这个句子会给很多同学造成阅读障碍，是因为 noting 这个动作没有发出者，紧接在 noting 之前的名词是 lineage（血统），但"血统注意"逻辑不通。因此按照以上规则，noting 的主语应该是 anthropologist。

翻译　**人类学家**质疑了一个声称那就是 Neanderthal 的残骸一定代表了直系亲属因为它们属于相同线粒体血统，**人类学家**注意到很多有相同线粒体的大猩猩不是直系亲属。

Part 3

阅读

GRE 不是努力的终点，而仅是我们走向下一程的第一步。感谢自己下定决心迈出这一步，亦感谢微臣让这第一步坚实有力。

——胡国钰
南洋理工大学，微臣新加坡班
2017 年 6 月 30 日 GRE 考试
Verbal 165 Quantitative 170

GRE 考试中的 while 是什么意思

开始学英语时，大家对 while 的理解是引导时间状语从句，表示"当……时"。可是在 GRE 文章中，会发现 while 很少考到此含义。其实，在 GRE 考试中，大部分情况下 while 考到的是"尽管"的意思，表示句内的对比关系。例如：

> While the delegate clearly sought to dampen the optimism that has emerged recently, she stopped short of suggesting that the conference was near collapse and might produce nothing of significance.

🔖 **翻译**　尽管这位代表明显在努力打压最近出现的乐观情绪，但她并不去暗示会议濒临崩溃，也不去暗示这个会议很可能不会产生任何意义。

🔖 **解析**　while 引导的部分说这位代表在打压乐观情绪；而逗号之后，则要表达有乐观情绪。所以代表并没有说出"会议濒临崩溃，会议没有意义"这样的事实。这位代表的态度在 while 前后是不乐观和不悲观的对比。

> While the writer was best known for her much-ballyhooed drollness, her impact reached far beyond memorable quips.

🔖 **翻译**　尽管这位作者因为她被高度赞扬的诙谐幽默而闻名，但她的影响远远超越了那些易于记住的俏皮话。

🔖 **解析**　While 的部分，这个作家因为幽默而出名，逗号之后说她不仅仅是诙谐幽默，前后对比取反。

> In the nineteenth century, critics reviled Poe for neglecting to conclude his stories with pithy moral tags, while Longfellow was canonized for his didactic verse.

🔖 **翻译**　在 19 世纪，评论家批评了 Poe，因为他没有用简短的道德标签去总结他的故事，然而 Longfellow 因为说教主义的语句而被奉为真经。

🔖 **解析**　while 小写放到句中，根据中文语言习惯，可以翻译成"然而"，依然表达句内的对比关系。

while 偶尔也会表示"当……时"，但这种情况比较少见，比如：

> While a queen reigns, the fitness of the worker bees is increased and that of the drones is diminished.

🔖 **翻译**　当蜂后统治的时候，工蜂会越来越强壮而雄峰的健康会越来越差。

请看下面这道题目：

解析 本题两个方程等号，一个是冒号前后取同，即冒号后面的内容要解释 lopsided（不平衡），另一个是 while。While 前后内容取反，强词是两个空，正确答案根据 while 选一组反义词。同时，lopsided 的含义表示 If you say that a situation is lopsided, you mean that one element is much stronger, bigger, or more important than another element，排除 AF。答案选 B（虚弱的）、D（稳健的）。

翻译 经济的恢复有一些不平衡：在某些行业中是疲软的，而在另一些行业中又是稳健的。

总结：

while 在阅读填空中出现，优先考虑其表示"对比取反"，很少的情况下表示"当……时"。**在阅读中遇见出现 while 的句子，首先把 while 当成取反，如果不行，再考虑其引导时间状语表示取同的功能。**

在 GRE 阅读中，while 表示句内取反和 whereas 的用法是一样的。关于 whereas 的详细用法，可以参考《GRE 阅读白皮书》。

where 除了引导定语从句，还能引导句内对比

where 作为一个常见的连词，引导定语从句，这一点大家并不陌生。可是大部分人不知道的是，where 引导从句时还有一种很特殊的用法——引导句内对比。本篇将会梳理 where 作连词的常见用法和特殊用法。

1. 引导定语从句

A different explanation is necessary in cases where the vigilant behavior is not directed at predators.

解析 where 引导定语从句修饰前面的 cases。

翻译 如果警觉行为并不直接针对掠食者，那么我们就需要做出不同的解释了。

其实 where 引导定语从句，在写作中也会起到很大的作用。不少同学在作文中用到 where 引导的定语从句时，先行词通常是非常具体的表示地点的词语，如 nation，country，school 等，这些词语当然可以做先行词。但如果大家知道 where 引导的定语从句还可以修饰一些其他表示更加抽象意义的词语时，写

出的文章内容可能就会更加丰富。比如：

① degree / point：对于这两个单词，where 可引导定语从句修饰这两个词表示一种程度。

This artist has reached such a degree where even his peers find his works elusive.

🖉 **翻译** 这个艺术家已经达到了一个连他的同行都看不懂他作品的境界。

🖉 **注释** 本句中的 where 可以换成 that，表意相似，但却是属于 "such...that..." 的用法，而且句子变成了两句，不如本句简洁。

② situation / dilemma / circumstance：where 可引导定语从句修饰这些词表示一种抽象的"情况"。

We frequently encounter a dilemma where we struggle between relying on technology and the detrimental consequences deriving from such reliance.

🖉 **翻译** 我们经常遇到一种让我们在对科技的依赖和由此产生的恶果之间纠结的困境。

2. where 的特殊用法：where=whereas，引导句内的对比。

《柯林斯字典》中对这一用法给出的解释是：You also use where at the beginning of a clause when you mention something in the clause that **contrasts** with what you mention in the other part of the sentence. 表示"然而"。例如：

Where Carlos Bulosan aimed through fiction and personal testimony to advance both Filipino civil rights in the United States and the social transformation of the Philippines, Yen Le Espiritu has set herself the task of recovering life histories of Filipino Americans.

🖉 **解析** 本句话第一个分句在说 Bulosan 想促进美国菲律宾人的变革，而 Espiritu 则想要恢复菲律宾美国人的历史，两个人研究方向不同，这种对比由 Where 引导。

🖉 **翻译** Bulosan 通过小说和个人证词想要促进在美国的菲律宾人的民权以及菲律宾人的变革，然而 Espiritu 就给自己设定了一个任务去恢复菲律宾裔美国人的生活历史。

Where the majority of humans are right-handed, in lobsters the crusher claw appears with equal probability on either the right or left side of the body.

🖉 **解析** 本句话将人类的用手习惯和龙虾的螯的对称性进行比较，由 Where 引导。

🖉 **翻译** 人类大多数习惯用右手，而龙虾捣螯出现在躯体左边或者右边的概率是相等的。

总结：

where 除了常见的引导定语从句外，还可以相当于 whereas 引导句内对比。

除了表示"如果"，if 还能表示什么

GRE 的阅读文章和填空题目常常会用"if 从句"来叙述某事。通常 if 在句子中拥有两种表达功能。第一种功能是引导条件状语从句，表示"如果"；另外一种功能是表示让步，可译为"尽管"，相当于"even if"的省略。这是作者为了避免其表达出现极端状况，故使用"if"的让步功能，给其后续行文保留可回旋的余地。因此可预判出"if"之后的内容与前面相反，即表示句内的对比关系。

那么 if 在什么情况下表示让步？

1. 从形式上进行判断

当出现 if any，if ever 和 if at all 这三种形式时，可以直接翻译成"即使存在"，"if"之后陈述的内容与主句所述事实可能会有少许不同。例如：

Generalist species now living in arctic water give few, if any, indications of a tendency towards significant future specialization.

解析 　主句的主要意思是广生性物种在未来不会表现出专门化，if any 译为"即使存在"就表示了还是会有一些物种在未来会表现出专门化。

翻译 　即使存在，现在居住在北极水域的广生性物种也很少表现出任何显著的未来专门化的趋势。

Clouds that are smaller than average in size rarely, if ever, produce lightning bolts.

解析 　主句的主要意思是比平均尺寸小的云不会产生闪电束，if ever 译为"即使存在"就表示了小尺寸的云也有产生闪电束的可能性。

翻译 　即使存在，比平均尺寸小的云也很少会产生闪电束。

We are not told in what way, if at all, this discovery illuminates historical understanding.

解析 　"if at all"结构之前的句子意思是我们并不知道如何（了解这一历史），"if at all"翻译成"即使存在"，其表达的意思与之前的主句所述事实相反。

翻译 　即使存在，我们也不知道这项发现如何能帮助理解这一历史。

2. 从句义上进行判断

如果句子中没有出现第一种情况中的明显结构，就要通过句义来进行判断。

当"if"所在的部分内容与主句意思构成对立的时候，此时 if 表示让步，译为"即使"；若"if"前后的内容不构成对立，则表示"如果"。试比较下面两个例子：

Which of the following, if true, would call into question Hardy's principle of animal exclusion?

解析 在 if 结构中"true"与前面的内容不构成对立，因此可以直接翻译为"如果"，即引导条件状语从句。

翻译 下面哪一项，如果正确的话，会质疑 Hardy 的动物排斥论？

It can be inferred from the passage that the author most probably thinks that giving the disenfranchised "a piece of the action" is a compassionate, if misdirected, legislative measure.

解析 if 结构中 misdirected 译为"不当"，与 compassionate（同情）构成一组反义，因此 if 在这句话中表让步，应翻译为"即使"。

翻译 从文中可以推测出作者最有可能认为给予那些被剥夺了权利的人"一些好处"是一种同情的立法措施，即使这种做法有所不当。

3. 更多关于 if 表让步的例子

Another potent objection came from the physicists led by Lord Kelvin, who contested the assumption of previous geologists and biologists that life had existed for billions of years, if not infinitely.

解析 if 结构中的 not infinitely（不是无限地）与 if 之前的 billions of years（几十亿年）内容上构成时间长短差异，因此 if 表让步，翻译为"即使"。

翻译 另一个强有力的反驳来自于由 Lord Kelvin 领衔的物理学家们，他们对于地质学家和生物学家之前的假设——生命已经存在了数十亿年，尽管不是无限长的时间——提出了质疑。

Chaucer's writing was greatly, if subtly, effective in influencing the moral attitudes of his readers.

解析 if 结构中的 subtly（微弱地）与 if 之前的 greatly（非常）构成对立，if 表让步。

翻译 即使乔叟的作品对他的读者的道德态度的影响很微妙，但却非常有效。

就算是第一种情况的明显结构，也可以从句内含义的角度来理解：

> Yet our economy has seldom, if ever, grown at a rate greater than 3.5 percent for any extended length of time.

解析 if 之前的 seldom 与 if 结构中 ever 内容上构成对立关系，因此 if 表示让步。

翻译 然而我们的经济增长率很少，即使曾经有过，长时间超过 3.5%。

总结：

当 if 出现在一句话的两个逗号中间时，有如下三种情况：

① 当 if ever, if any 和 if at all 出现时，直接翻译为"就算有的话"。

② 当 if 结构中的内容与主句构成对比，则 if = even if，译为"即使"。

③ 当 if 结构中的内容与主句不构成对立，则 if 译为"如果"，引导条件状语从句。

对比标志词 unlike 和 than

在 GRE 阅读中，句与句之间的逻辑关系可以帮助大家做句间预判、把握文章主旨脉络。而句内关系也是同样重要的，通过句内的对比关系对句子内部的主要态度和内容进行预判，帮助大家更快、更好地理解句意。

常见的句内预判方法如 while、although 这样表示让步含义的词，通过其引导的让步状语从句来对下文内容进行预判。与之类似，但容易被大家忽略的还有两个词：unlike 和 than。

1. unlike

> Some hypothesize that the Moon was formed in the same way as were the planets in the inner solar system (Mercury, Venus, Mars, and Earth)—from planet-forming materials in the presolar nebula. But, unlike the cores of the inner planets, the Moon's core contains little or no iron, while the typical planet-forming materials were quite rich in iron.

解析 第一句话 3s 版本：月球的形成与太阳系内部行星一样。第二句看到 But 便可预判出第一句的观点要被反驳。在第二句中出现 unlike，表示前后的对比，即把 "the cores of the inner planets" 同 "Moon's core" 的含铁量进行对比。通过 the Moon's core contains little or no iron 可以推测 inner planets 是含铁的，这一点从 while 引导的从句也能看出。

翻译 一些人假设月亮和太阳系的内部行星（水星、金星、火星和地球）形成的方式是相同的——形成于太阳系产生前的星云中的成星物质。但不同于内部行星的地核，月球的地核几乎不包含铁，而典型的成星物质是富含铁的。

> Unlike other types of anions, anionic electrons do not behave as if they were simple charged spheres.

🔽**解析**　本句话用 unlike 将其他种类的负离子同阴离子进行对比，表明阴离子不会像简单的带电荷的球体那样，于是可以推测出其他的负离子就是简单的带电球体。

🔽**翻译**　不像其他种类的负离子，阴离子不会有像简单的带电球体那样的行为。

2. than

> Political conditions, as well as a certain anti-intellectual bias, prepared Americans and the American media to better receive Friedan's deradicalized and highly pragmatic *The Feminine Mystique*, published in 1963, than Beauvoir's theoretical reading of women's situation in *The Second Sex*.

🔽**解析**　本句话中的 than 将 Friedan 的作品同 Beauvoir 的作品在受欢迎程度上进行了对比，通过 than 之前的句子内容得知 Friedan 的作品受欢迎，可以对下文产生预判：Beauvoir 的作品不受欢迎。

🔽**翻译**　政治环境以及反智主义的偏见使得美国人和美国媒体更倾向于接受 Friedan 在 1963 年出版的不激进的和高度实用主义的 *The Feminine Mystique*，相比于 Beauvoir 在 *The Second Sex* 中对女性地位的解读。

> The radiative properties of methane make it 20 times more effective, molecule for molecule, than carbon dioxide in absorbing radiant heat.

🔽**解析**　本句话中的 than 将甲烷和二氧化碳对于吸收热量的能力进行了对比。

🔽**翻译**　甲烷的辐射性质使每个甲烷分子吸收热量的能力是每个二氧化碳分子的二十倍。

　　在今后的 GRE 阅读中，遇到 than 和 unlike，要记得它们可以表示句内的对比关系，起到句内取反的作用。

rather 的用法

　　rather 在 GRE 阅读中的用法一直是困扰考生的一个难题，其功能在句子中到底是表示取同还是取反？读完本篇，你会对 rather 的用法有更透彻的了解。

1. rather 单独使用

　　当 rather 单独使用时，表示前后两句话的顺承，内容上不存在对立关系，可直译为"事实上"或者"精确地说"，等同于 instead 单独使用。这种用法最常见的模式是：not...; (or) rather, ... 如果用的是"or rather"的搭配，那么可以翻译成"更精确地说"。

　　在"not...; (or) rather, ... "结构中前半句话否定形式，后半句话肯定形式，但两句话实质上表达的含义一致。如：He is not good; rather, he is bad. （他不是个好人，事实上，他是个坏人。）

In *Raisin in the Sun*, Lorraine Hansberry does not reject integration or the economic and moral promise of the American dream; rather, she remains loyal to this dream while looking, realistically, at its incomplete realization.

解析 rather 前面为 not reject（不拒绝），后面为 loyal to（拥护），意思同为不反对，因此 rather 前后态度一致，功能取同。

翻译 在 *Raisin in the Sun* 中，Lorraine Hansberry 并不反对民族融合以及美国梦在经济和道德上的前景；**事实上**，她坚持这个梦想，尽管她很现实地意识到这个梦想没有完全实现的一面。

The Romantic period was not the period in which biography was invented—or, rather, not the period in which some of its informing principles were invented.

解析 rather 前面表明浪漫主义时代不是传记产生的时期，rather 之后指浪漫主义时代也不是一些原则被发明的时期。前后内容态度一致，因此 rather 功能取同。

翻译 浪漫主义时代并不是传记产生的时代——**更精确地说**，也不是产生传记基本原则的时期。

2. rather than 相当于 instead of

表示句内的对比关系，等于 not。

Roger Rosenblatt's book *Black Fiction*, in attempting to apply literary rather than sociopolitical criteria to its subject, successfully alters the approach taken by most previous studies.

解析 rather than 前面讲文学标准，后面是社会政治标准，这两个标准分属不同领域。前后主题对象不一致，rather than 功能前后取反。

翻译 Roger Rosenblatt 的著作 Black Fiction 尝试用文学标准**而非**社会政治的标准来研究这个课题，成功地改变了此前大多数研究所采取的方法。

3. rather + *adj.* = very

By 1950, the results of attempts to relate brain processes to mental experience appeared rather discouraging.

解析 在这句话中 rather 后面加形容词 discouraging，此时 rather = very。

翻译 到 1950 年为止，尝试将大脑过程和精神体验相联系而获得的结果是**相当**令人沮丧。

总结：

当在 GRE 阅读中再出现 rather 一词时，其用法可分三种情况讨论：

① rather 单独使用，句间关系前后取同。

② rather than 结构出现，句内关系前后取反。

③ rather + adj. = very，起到局部修饰的作用。

though = however？

在大多数情况下，though 在句子里充当连词，意为"虽然"，表示句内取反；但是当 though 单独存在于两个逗号中间时，though 就可以起到句间取反的作用，这时的 though 在功能上等于 however。

首先看 *Webster Dictionary* 对于这种情况的解释：

though：*adv.* used when you are saying something that is different from or contracts with a previous statement

接下来，以 GRE 文章中的句子为例：

If water flowed for an extended period, researchers reasoned, it should have altered and weathered the volcanic minerals, creating clays or other oxidized, hydrated phases. It turns out, though, that the scientists were not looking closely enough.

解析 though 之前一句表明研究者的观点，though 所在的那句话却说"这些科学家并没有足够仔细地观察"，表明否定前者观点。前后两句内容上取反，因此 though 在这里起到句间转折的作用。

翻译 研究者们认为，如果水长期流动的话，它就会改变并且风化火山矿物质，产生粘土或者其他氧化的含水状态。**然而**，结果却说明这些科学家并没有足够仔细地观察。

In the 1920's Black poets did debate whether they should deal with specifically racial subjects. They asked whether they should only write about Black experience for a Black audience or whether such demands were restrictive. It may be said, though, that virtually all these poets wrote their best poems when they spoke out of racial feeling, race being, as James Weldon Johnson rightly put it, "perforce the thing the Negro poet knows best."

解析 第一句 3s 版本：黑人诗人在纠结是否应该只写黑人经历。第二句 3s 版本：顺承上一句内容，依然在纠结写作内容。第三句 3s 版本：诗人明确了应该写黑人自己的经历。Though 之前的内容表示在说纠结，though 之后表示了明确的观点，though 在这里起到句间转折作用。

翻译 在 20 世纪 20 年代，黑人诗人确实在争论他们是否应该仅仅应对种族主题。他们在询问他们是否应该仅仅为了黑人读者写黑人自己的经历或者这样的需求是否是限制性的。**然而**，也可以说，实际上当所有的这些诗人表达他们种族情感的时候，他们才能写出最好的书。正如 James Weldon Johnson 所说的，种族是"实际上黑人诗人最了解的东西"。

Astronomers still believed that when a comet approached the Sun—where they could study it—the Sun's intense heat would remove the corrupted surface layer, exposing the interior. About the same time, though, scientists realized comets might contain decaying radioactive isotopes that could have warmed cometary interiors to temperatures that caused the interiors to evolve.

解析　第一句 3s 版本：太阳使得彗星原始的外貌暴露出来。第二句 3s 版本：彗星不会暴露出原始外貌。Though 之前表明暴露彗星原始外貌，though 之后指多因素下导致彗星不再是原始外貌，前后转折取反。

翻译　天文学家依然认为当彗星接近太阳的时候——他们可以在太阳附近研究彗星——太阳强烈的高温可以祛除被腐蚀的表面，暴露出内部。**然而**，在同时，科学家意识到彗星有可能包含衰变的放射性同位素，这些同位素会加热彗星的内部，使其达到足以让内部发生改变的温度。

在阅读文章时，出现 ", though," 的结构，便可将 though 等同于 however。这是继 But, Yet, however, Nevertheless 之后的又一个句间取反标志词。

still 的用法

很多学生认为 still 只能表示"仍然"这一个含义。然而，在 GRE 考试中，still 还有下面两种考法：

用法 1：作形容词，表示"静止的"。

The history of film reflects the paradoxes inherent in the medium itself: film combines still photographs to represent continuous motion and, while seeming to present life itself, can also offer impossible and dreamlike unrealities.

翻译　电影的历史反映出了电影本身内在的矛盾：电影糅合了静止的照片去表现连贯的动作，并且，电影使用不可能的以及像梦境一般的非现实来表现生活本身。

用法 2：作副词，表示"然而"。

still 作副词时，一般出现在句首单独使用并且后面跟逗号，这里的 still 可引导句与句之间的转折关系，表示"然而"。

① The male cone of *Cycas circinalis*, for example, sheds almost 100 cubic centimeters of pollen, most of which is probably dispersed by wind.
② Still, many male cycad cones are comparatively small and thus produce far less pollen.

解析　第①句的 3s 版本：Cycas circinalis 这种铁树可以依靠风作为媒介传粉。

第②句 3s 版本：还有很多种类的铁树靠风传粉很困难。still 单独使用放在第二句句首，引导了两个句子之间的转折。

📝**翻译** ① 例如，Cycas circinalis 的雄性球果会散落约 100 平方厘米的花粉，其中大部分花粉都很有可能随风传播。② **然而**，还有许多雄性铁树球果相对较小，因此产生的花粉也会更少。

① Standard interpretations of "hand-in" offer observations of correspondence—demonstrating either that it mirrors actual social behavior or that it borrows from classical statuary.
② Such explanations, however, illuminate neither the source of this curious convention nor the reason for its popularity.
③ It is true that in real life the "hand-in" was a common stance for elite men.
④ Still, there were other ways of comporting the body that did not become winning portrait formulas.

📝**解析** 首先第①句话对某一现象提出了两种解释。第②句则认为这两种解释都不对。第③句起到让步作用，承认 "hand-in" 这种姿势借鉴了实际存在的社会行为，也就是说 "actual social behavior" 是正确的。第④句话转折，认为还有很多方式去表现身体的姿势，可是却唯有 "hand-in" 流行了起来。然而第一种解释无法回答这个问题，所以 actual social behavior 无法解释这种身体姿势流行的原因。因此这一段落 3s 版本为用 actual social behavior 解读 "hand-in" 是不对的。

📝**翻译** 针对这个肖像姿势的标准解读提供了一致的观察——它模仿了实际存在的社会行为，或者是借鉴了古典雕塑。然而，这些解释没有说明这一奇怪传统的来源，也没有说明其流行的原因。诚然，现实生活中 "hand-in" 这种姿势对于精英男士来说是常见的。**但是**，还有其他用来描绘身体的方式并没有成为肖像画的普遍形式。

所以，今后在 GRE 阅读中再看到 still，一定要注意它的"言外之意"。作形容词，表示"静止的"；作副词，放在句首，表示"然而"。

阅读中的 by contrast

在 GRE 阅读体系中，建议大家通过句间关系来对下文内容进行预判，并且利用句间关系和预判方向理清文章的行文逻辑和脉络走向。针对新 GRE 考试的阅读篇目，句间关系只有两种——顺承和转折。其中，转折关系有如下三个标志：

① 句中出现 But, Yet, However, Nevertheless 这四个转折连词。
② 句中出现负态度词：oppose, criticize, overestimate 等等。
③ 两句话讨论的对象发生改变。

除以上三种情况外，句子之间的关系都是顺承。那么很多同学会有疑问，by contrast 的意思是"与之相比的是"，那么当文中出现 "by contrast" 时，是否也意味着转折的出现呢？

结合如下例句，进行详解：

This last criterion is more easily met in dating marine sediments, because dating of only a small number of layers in a marine sequence allows the age of other layers to be estimated fairly reliably by extrapolation and interpolation. By contrast, because sedimentation is much less continuous in continental regions, estimating the age of a continental bed from the known ages of beds above and below is more risky.

翻译 这最后一个标准更适于测定海洋沉积物的年龄，因为仅测定少量的海洋层可以让其他层的年龄通过推测和插补相当准确地被估计出来。与之相比的是，在大陆地区由于沉积物的产生不是那么的连续，所以从已知陆床年龄来推测另外一个陆床年龄是更有风险的。

解析 根据整体文意可知，"by contrast"之前指测定海洋沉积物年龄的方法可行；后面则认为测定大陆沉积物年龄的方法不可行。因为前后叙述的对象主体发生改变，所以文意发生转折。

总结：

by contrast 出现意味着讨论的对象发生了变化，这与之前提到的句间转折标志是一致的。所以针对 by contrast，不需要刻意记忆它的功能。同理，与 by contrast 功能相同的表达还有：on the other hand, conversely 等。

小小代词纠正你的 GRE 阅读习惯（一）：these

在 GRE 阅读的方法论中，最重要的除了句间关系，就是逻辑重复。所谓逻辑重复是指上文出现过的内容在下文会通过换词、原词、种属关系和指代在下文再次出现。

GRE 文章最强调逻辑，好的文章逻辑必然是通过不断地重复来建立单词和单词之间、句子和句子之间的联系。而没有重复的语言必然是缺乏逻辑的，比如"不想当将军的司机不是好厨师"，三个名词之间没有重复关系，这句话就没有逻辑。有逻辑的说法应该是"不想当将军的士兵不是好士兵"。

代词所指代的对象一定是前文所出现过的内容，这就是它在逻辑重复中所扮演的角色。重视逻辑重复中的"代词"，如 this, that, these, its, such 等平常看起来不起眼的词，可以纠正阅读习惯，提高阅读速度，迅速理清文章结构。

While most scholarship on women's employment in the United States recognizes that the Second World War (1939–1945) dramatically changed the role of women in the workforce, these studies also acknowledge that few women remained in manufacturing jobs once men returned from the war.

解析 scholarship 除了表示"奖学金"，在这篇文章中还表示"学术成果"，之后的 these studies "这些研究"就是指代的上文 scholarship。

> 📖 **翻译** 尽管大多数关于美国女性就业的研究都认识到二战极其显著地改变了女性在劳动力中所扮演的角色，但是这些研究也承认了很少有女性会留在制造业当中一旦男性从战场中回来。

> Some researchers contend that sleep plays no role in the consolidation of declarative memory (i.e., memory involving factual information). These researchers note that people with impairments in rapid eye movement (REM) sleep continue to lead normal lives, and they argue that if sleep were crucial for memory, then these individuals would have apparent memory deficits.

> 📖 **解析** 这里 these 出现了两次指代，(1) these researchers 用来指代一开始的 some researchers；(2) 后文的 these individuals 指代的就是前文 "people with impairments in rapid eye movement (REM) sleep" 也就是 REM 睡眠受损的人。通过 these 来重复前文，进行同义改写。

> 📖 **翻译** 一些研究者认为睡眠与记忆无关。这些研究者注意到 REM 睡眠受损的人可以正常地生活，并且他们认为如果睡眠与记忆有关，那么这些人就会有明显的记忆缺陷。

these 引导逻辑重复不仅可以帮助大家理解阅读文章，它在 GRE 填空中也可以作为"方程等号"用来直接选出答案。比如：

练习题目

> 📖 **答案** AF

> 📖 **解析** 本题中，these 充当方程等号，these 指代的内容必定在前文出现过，所以前文必有 sketches，而前文的已知信息并没有 sketches，所以空格应该是 sketches 的同义词。选项 A 和 F 都是"小短文"的含义。

> 📖 **翻译** 小说 *How the Garcia Girls Lost Their Accents* 实际上是一系列的短文；这些短文描述了来自多米尼加共和国的四姐妹移民到美国之后的经历。

小小代词纠正你的 GRE 阅读习惯（二）：this

另一个在 GRE 文章中容易被大家忽略的但又相当重要的代词是 this。

请先看一道填空题：

练习题目

答案 D

解析 The social sciences are **less likely** than other intellectual enterprises **to get credit** for their accomplishments. This **underappreciation** of the social sciences contrasts oddly with what many see as their overutilization.

第二句一开头的"This underappreciation"（这种低估）指的便是上文提到的"The social sciences are less likely... to get credit for their accomplishments."（社会科学不太可能因为它们的成就而得到好评。）this 在这篇文章中的作用，除了指代上文构成逻辑上的重复以外，还有对生词含义推测的功能。underappreciation 通过词根词缀是很容易理解的，但是上文的词组 get credit for 就会有很多同学不认识，那么这时候通过 this 的逻辑重复作用，再加上前面的"less like to"便可轻松推得词组的含义。

翻译 社会科学不太可能向其他学科那样因为它们的成就而得到好评……这种对于社会科学的低估与很多人看到的对它们的过度利用构成了奇怪的对立。

再看下面的例句：

> Glass based two symphonies on music by rock musicians David Bowie and Brian Eno, but the symphonies' sound is distinctively his… Yet <u>this</u> use of popular elements has not made Glass a composer of popular music

解析 本段同样也是从 GRE 阅读文章中节选出的两句话。第二句的 this 指代上文 Glass 对于使用流行音乐元素的方法，构成逻辑重复。

翻译 Class 基于 David Bowie 和 Brian Eno 的摇滚乐创作了两首交响乐，但是交响乐还是保持了他自己的风格……但是这种对于流行音乐元素的使用并没有让 Glass 成为一名流行乐作家。

上面给出的都是 this 在阅读当中的作用，那么它们在填空题中充当方程等号的作用大家是否可以通过上一篇文章来举一反三呢？请看下面一道题：

答案 CF

解析 方程等号：第冒号和 this。冒号表示前后内容顺承，this 之后是 public declaration，代词指代的内容在前面必然出现过，所以空格处应该填 declaration 的同义词，答案 C 和 F 两选项的意思都是"宣言"。

翻译 教授认为每一次草根运动都需要宣言：没有这些动机的公开宣言，就不会存在有凝聚力的组织。

总结：

代词本身是非常简单的，但是放在 GRE 这种重视逻辑的考试中，本来不起眼的代词也会起到举足轻重的作用。牢记"代词出现找指代"这一原则，可以快速理清文章内部的逻辑重复，同时利用这种逻辑重复，又可以帮助猜测生词词义，加快阅读速度。

some a hundred years 表示"一百年"还是"几百年"

some 是一个简单得不能再简单的单词，可是这样的一个小学级别的单词，放到 GRE 里面就真的只能按照小学学的"很多的"这种含义来理解吗？本文标题的"some a hundred years"就是一个曾经在 GRE 阅读中出现的表达。那么这里的"some"又应该如何理解呢？

可以将词典中对 some 的众多含义归纳为三个：

1. 表示数量，"一些"。

He went to fetch some books.

翻译　他去拿了一些书。

2. 表示指代，"一些 / 某些人""一些 / 某些事物"，一般用 some of 这种表达。

The article supports the view that during the Ice Age sheets of ice covered some of the deserts of the world.

翻译　文章支持了一个观点，在冰河世纪，冰河覆盖了全世界沙漠中的一些。

3. 表示不确定性，"大约"，用在数目之前。

比如：some 30 miles = about 30 miles = around 30 miles = 30miles or so

The first mention of slavery in the statutes of the English colonies of North America does not occur until after 1660—some forty years after the importation of the first Black people.

翻译　直到 1660 年奴隶问题才第一次在北美洲英国殖民地的立法中被提及——在第一批黑人到来约 40 年之后。

请看下面的练习题：

翻译 shergottites 是目前为止在地球上发现的三个奇怪的去球粒陨石的名字，它们给科学家们带来了一个真正的谜题。shergottites 结晶于不超过 11 亿年前融化的岩石（比典型的无球粒陨石晚了大约 35 亿年），并且有可能被一个在化学组成上与地球相似的天体碰撞后射入了太空中。

这篇文章认为 shergottites 的年龄有可能是多少？

答案 B。文中提到 shergottites 比典型的无球粒陨石晚了 35 亿年，就是说年龄要比大多数的无球粒陨石小。

总结：

some 在名词之前，通常表示"一些"，本身就是数量词；some 放在具体的数字之前，则表示"大约"。

"the extent to which" 句型的理解方式

在 GRE 阅读文章中会见到 "the extent to which" 这个句型，extent 这个词大家都认识，表示"程度"，which 以及其后的从句也认识，可是连到一起就是不知道该如何翻译，这怎么办呢？其实解决办法非常简单，只要记住下面的翻译公式就可以了。

公式：the extent to which + A = A 的程度
思路：① 看懂 which 之后从句的意思。
　　　② 将这个从句意思代入到"……的程度"。

请看下面的例句：

When Black poets are discussed separately as a group, for instance, the extent to which their work reflects the development of poetry in general should not be forgotten.

思路 ① which 之后的从句 "their work reflects the development of poetry in general" 的意思是：他们的作品反映出诗歌的总体发展。
② 代入"……的程度"：他们的作品反映出诗歌的总体发展的程度。

翻译 举个例子，当我们把黑人诗人作为一个单独的群体来进行讨论的时候，他们的作品反映出诗歌的总体发展**的程度**就不应当被忘记。

One function of the third paragraph of the passage is to qualify the extent to which two previously mentioned groups might be similar.

思路 ① which 之后的从句 "two previously mentioned groups might be similar" 的意思是：之前两个被提及的组的相似。

② 代入"……的程度"：之前两个被提及的组的相似的程度。

📖 **翻译**　文章第三段的一个功能是限制之前两个被提及的组的相似**的程度**。

> Pocock fails to capture the great extent to which eighteenth-century Americans were committed to a sense of civic duty.

📖 **思路**　① which 之后的从句 "eighteenth-century Americans were committed to a sense of civic duty" 的
　　　　意思是 18 世纪美国人忠诚于公民责任意识。

　　　　② 代入"……的程度"：18 世纪美国人在很大程度上忠诚于公民责任意识。

📖 **翻译**　Pocock 没有能够捕捉到 18 世纪美国人**在很大程度上**忠诚于公民责任意识。

　　句型 the extent to which 里面的每一个单词都认识，但是组合到一起就不见得理解，这种例子在
后面的文章中还会介绍很多。在平常的阅读过程中，要善于多多总结此类句型，归纳出"公式"，
学会举一反三。

如何处理阅读中的虚拟语气

　　在 GRE 的阅读文章中多见虚拟语气，而很多同学都不知道虚拟语气的用处。GRE 虽然是很难的考试，
但是对虚拟语气的考查却仅仅局限于以下两个方面：

　　1.　虚拟语气的形式

　　传统的语法书通常会把虚拟语气讲得很复杂且多变。但是在 GRE 阅读中较为常见的虚拟语气的形式
却只有如下三种：

　　①　现在时态虚拟语气：If+ 主语 + 一般过去式 + 宾语 , 主语 +would/should/could/might do+ 宾语

> If I were you, I would plant some trees round the house.

📖 **翻译**　如果我是你，我会在房子周围种些树。

　　②　过去时态虚拟语气：If+ 主语 + 过去完成时 + 宾语 , 主语 + would/should/could/might have done+
　　　　宾语

> If you had arrived a little earlier, you would have seen her.

📖 **翻译**　你要是早来一会儿就见到她了。

③ 倒装形式过去时态虚拟语气：Had+ 主语 + 过去完成时 + 宾语，主语 + would/should/could/might have done+ 宾语

Had she been asked, she would have done it.

翻译　如果那时请她做，她是会做的。

见到以上三种形式的虚拟语气，只需要在文章中识别出这是虚拟语气即可，不要求区分谁是过去时态谁是现在时态。

2. 虚拟语气的含义

在 GRE 考试中只需要知道虚拟语气中表达的含义与现实情况对立。通过这种与现实取反的手法来进行反衬，起到对现实情况的强调。同时，虚拟语气中的 would 并非表示一种可能性，而仅仅是在虚拟语气的句子中充当一个起时态作用的语法符号。

Although the new, improved bicycle had appealed immediately to a few privileged women, its impact would have been modest had it not attracted a greater cross section of the female population.

解析　根据虚拟语气的形式判断，本句话从 its impact 开始便是虚拟语气，句子本身表达 "its impact would have been modest"（自行车的影响本应当很微弱），因虚拟语气中表达的含义与现实情况取反，则现实情况是说自行车影响很大；同理，"had it not attracted a greater cross section of the female population"（如果没有吸引更多阶层的女性），则现实情况是吸引了很多阶层的女性。

翻译　尽管新的、改良后的自行车立刻吸引了少数特权阶级的女性，但是如果没有吸引更多阶层的女性的话，自行车的影响应当是很微弱的。

These points may seem obvious, but had Martin given them more attention, his analysis might have constituted a more convincing rebuttal to those critics who dismiss Douglass' ideology as a relic of the past.

解析　but 之后的内容为虚拟语气，句子本身表达了如果 Martin 更多关注到这些观点，那么他的分析则可能会对批评者构成更为有力的驳斥，则现实情况应为 Martin 没有关注到这些观点，所以没有对批评者进行有力的驳斥。本句通过虚拟语气的修饰手法来强调 Martin 的失误，反衬 Martin 犯的错误。

翻译　这些观点看起来是很明显的，但如果 Martin 能给予他们更多的关注的话，就会对那些认为 Douglass 的思想是过时的而忽略他的批评者构成更为有力的驳斥。

如何用 GRE 词汇表达"我觉得"（一）

在 GRE 考试的阅读和填空中，遇到表达观点的句子时，通常都会用很多不一样的单词进行表达。但其实这些单词都可以简单地翻译为"认为"，这样会大大地减轻阅读句子时的负担。表达"认为"的词汇主要有以下几个：

① **argue:** 主张 to give reasons for or against something

在没学过 GRE 的同学眼里，argue 仍然是初中英语当中的"争吵"。但其实在 GRE 文章中，argue 反而是最与世无争的单词，直译成"认为"，毫无感情色彩。只有当 argue 与 against 连用时，才表示"反对"。例如：

A Marxist sociologist has argued that racism stems from the class struggle that is unique to the capitalist system.

🖱 **翻译**　一个马克思主义社会学家**认为**种族主义起源于资本主义体系所特有的阶级斗争。

The primary purpose of the passage is to argue against government restrictions on developing new infrastructure.

🖱 **翻译**　这篇文章的主要目的是反对政府限制发展新基础设施的举措。

② **contend:** 主张 to argue or state something in a strong and definite way

contend 一词通常表达对于某事持有肯定的看法，但是在 GRE 阅读中依然可以直译成"认为"。例如：

Some researchers contend that sleep plays no role in the consolidation of declarative memory.

🖱 **翻译**　一些研究者**认为**睡眠与陈述性记忆的加固无关。

③ **assert:** 断言 to state something in a strong and definite way

assert 与 contend 很像，都表达了确切的"认为"。例如：

The author asserts that Griffith introduced all of the following into American cinema EXCEPT:

🖱 **翻译**　作者**认为** Griffith 将下列所有东西都引入了美国电影业，除了哪一项：

④ **maintain:** 坚持认为 to affirm in or as if in argument

maintain 一词除了翻译为"维护""保持"以外，在 GRE 文章中也可表示"认为"。例如：

Defenders of special protective labor legislation for women often maintain that eliminating such laws would destroy the fruits of a century-long struggle for the protection of women workers.

> **翻译** 针对女性的特别保护性劳动立法的支持者**认为**取消这种保护女性劳动权的法律会破坏长达一个世纪的为保护女性工人而斗争的成果。

⑤ **suggest**：认为是 If you suggest that something is the case, you say something which you <u>believe</u> is the case.

suggest 除了有"提议""暗示"等意思之外，在 GRE 文章中也会考查"认为"这一含义。例如：

The author suggests that the work of Fisher and Hamilton was similar in that both scientists sought an explanation of why certain sex ratios exist and remain stable.

> **翻译** 作者**认为** Fisher 和 Hamilton 的作品是相似的，因为两位科学家都寻求一种为什么某种性别比例会存在并且保持稳定的解释。

⑥ **claim:** 声称 to <u>assert</u> in the face of possible contradiction

claim 在字典中的完整释义为"面对可能的反驳时候，你认为是正确的"，但是在做题的过程中，只需翻译成"认为"或"声称"便可减轻阅读时带来的负担。例如：

Despite these vague categories, one should not claim unequivocally that hostility between recognizable classes cannot be legitimately observed.

> **翻译** 尽管存在这些模糊的分类，我们不应当明确地**认为**可见的阶级对立状态不能被恰当的观察到。

⑦ **observe:** 评述 to <u>make a comment</u> about something you notice

除了"观察"这一含义，observe 在 GRE 文章中还经常表示"评论"或"认为"。例如：

As Brown observes, "Valuably insisting that Negro poets should not be confined to issues of race, these poets committed an error… they refused to look into their hearts and write."

> **翻译** 正如 Brown 所**认为**的，"这些诗人非常有价值地坚持认为黑人诗人不应当被局限于种族问题，但是这些诗人犯了一个错误……他们拒绝直视自己的内心进行写作。"

⑧ **insist:** 坚持认为 to <u>say</u> something in a way that is very forceful and does not allow disagreement

When he remade Enoch Arden in 1911, he insisted that a subject of such importance could not be treated in the then conventional length of one reel.

翻译 他在 1911 年重拍 Enoch Arden 时**坚持认为**，如此重要的题材无法在传统的一个盘片的篇幅之内得到充分展现。

因此，在做句子功能题时，就可以不用再纠结于每个选项开头处的 argue, show 等等单词了。因为已经知道这些单词都是"认为"这一个含义，比如：

The author's purpose in comparing Islamic law to Jewish law and canon law is most probably to

    (A) contend that traditional legal subject matter does not play a large role in Islamic law

    (E) argue that geographical and historical proximity does not necessarily lead to parallel institutional development

该题中 A、E 两个选项开头虽然用了不同的单词，但是实际含义都是"认为"。

以后在 GRE 考试的填空、阅读题中，无论遇到 argue, contend, maintain, assert, suggest, claim, observe, insist 中的哪一个，都直接翻译成"认为"，轻松抛掉复杂句子带来的阅读负担。同时，请忘记之前的 think 和 believe，在写作中也可以增加行文的多样性。

如何用 GRE 词汇表达"我觉得"（二）

在前面的文章《如何用 GRE 词汇表达"我觉得"（一）》中已经介绍过了关于形象化表达"认为"的单词，本篇会介绍表示"认为"的动词搭配。

在 GRE 文章中有一系列短语，是通过"描绘""感觉""看"等一系列与感官体验有关的单词搭配 as 来表示"认为…是…"。结合例子，主要有以下几种表达：

① **portray:** 描绘 When a writer or artist portrays something, he or she writes a <u>description</u> or produces a painting of it.

通常用 portray A as B 的结构来表示"认为 A 是 B"。例如：

She portrays people anxious to reform their society as arrogant or dishonest.

翻译 她**认为**急于变革社会的人是傲慢和不诚实的。

According the passage, *Frankenstein* differs from *Wuthering Heights* in its portrayal of men as determiners of the novel's action.

翻译 根据这篇文章，*Frankenstein* 不同于 *Wuthering Heights* 的地方在于它**认为**男人是小说行为的决定者。

② **depict:** 描绘 To depict someone or something means to show or represent them in a work of art such as a drawing or painting.

depict 与 portray 一样，直译都有"描绘"的意思，而且 depict A as B 的结构同样翻译成"认为 A 是 B"。例如：

The magazines also depicted music halls as places where crass entertainment corrupted spectators taste and morals.

🖉**翻译** 杂志也**认为**歌舞杂耍戏院是粗俗的娱乐用来腐化观众品味和节操的地方。

③ **describe:** 讲成…；称作 If a person describes someone or something as a particular thing, he or she believes that they are that thing and says so.

describe A as B 也表示"认为 A 是 B"。例如：

The author's style can best be described as objective.

🖉**翻译** 作者的风格可以被最好地**认为**是客观的。

④ **perceive:** 认为 If you perceive someone or something as doing or being a particular thing, it is your opinion that they do this thing or that they are that thing.

perceive 本意是"感知到"，在 perceive A as B 的结构中表示"认为 A 是 B"。例如：

Nineteenth-century feminists and anti-feminist alike perceived the suffragists' demand for enfranchisement as the most radical element in women's protest.

🖉**翻译** 19 世纪女权主义者和反女权主义者都**认为**妇女政权论者对选举权的需求是女性反抗中最激进的元素。

⑤ **view:** 看待 If you view something in a particular way, you think of it in that way.

view 本意属视觉感官的范畴，而在"view A as B"的结构中，则表示"认为 A 是 B"。例如：

Traditional history usually views past events as complex and having their own individuality.

🖉**翻译** 传统历史通常**认为**过去的事件是复杂的并且拥有自己的特质。

Douglass' vision of the future as a melting pot in which all racial and ethnic differences would dissolve into "a composite American nationality" appears from the pluralist perspective of many present-day intellectuals to be not only utopian but even wrongheaded.

Douglass **认为**未来是一个大熔炉，在这个大熔炉里所有的种族民族差异都会融合为一个统一的美利坚民族，这样一种观点从很多当代知识分子的多元主义角度来看不仅是理想化的而且甚至是固执的。

⑥ **regard:** 看待 If you regard someone or something as being a particular thing or as having a particular quality, you <u>believe</u> that they are that thing or have that quality.

This position regards Renaissance prints as passive representations of their time.

翻译 这种立场**认为**文艺复兴版画是它们那个时代的消极代表。

⑦ **take:** (以 某 种 方 式) 看 待 **If you take something in a particular way, you <u>react</u> in the way mentioned to a situation or to someone's beliefs or behavior.**

take 除了最常见的表示"拿""花费"等含义外，在"take A as B"结构中，表示"认为 A 是 B"。例如：

It has now become clear that such paintings are to be taken as symbolizing morality.

翻译 现在变得清晰的是，这种绘画艺术被**认为**是道德的象征。

⑧ **see:** 认为 If you see someone or something as a certain thing, you <u>have the opinion</u> that they are that thing.

see 除了常见的表示"看见"这一含义之外，与 as 搭配表示"认为"。

Since nineteenth century cartographers, for instance, understood themselves as technicians who did not care about visual effects, while others saw themselves as landscape painters.

翻译 从 19 世纪以来，地图制作者**认为**自己是不在乎视觉效果的技术人员，然而其他人认为他们自己是风景画家。

以后再看到"portray/depict/perceive/view/describe/regard/take/see A as B"的结构时，可以统一理解成"认为 A 是 B"。

总结：

在 GRE 考试的阅读中，表示"我觉得"有两组表达方法：

① 动词：argue/ contend/ assert/ maintain/ suggest/ claim/ observe/ insist

② 短语：portray/ depict/ perceive/ view/ describe/ regard/ take/ see + A + as + B

你会读 "dismiss...as..." 吗

dismiss 作动词有 "解散" "不予考虑" 的含义。但不是认识了 dismiss 就能认识 "dismiss...as..." 结构，请看下面这句阅读中出现过的一句话：

> She dismissed as exaggerated Carvajal's estimates of tens of thousands of people in those settlements.

大多数人看到这一句话，读到第三个单词就读不下去了，因为分析不出 as 在这里的作用是表示因果，还是表示 "像"，还是其他含义。这句话的结构便是这句话的第一个难点。其实，这句话可以改写成：

> She dismissed Carvajal's estimates of tens of thousands of people in those settlements as exaggerated.

这句话之所以难，就是因为出现了宾语倒装的现象，原句为了避免头重脚轻的现象，将本应该跟在 dismiss 之后的宾语放到了最后，而相对较短的 as 后的宾语则提前了。接下来，另一个难点又出现了：该如何翻译 "dismiss...as..." 这个结构？

"dismiss A as B" 翻译成 "因为 B 而忽略 A"。as 之后的内容通常是负面含义，且 as 之后内容省略则默认成 as 之后的内容为 "不重要"，直接翻译成 "因为…不重要而忽略"。所以上面这句话就可以翻译成：她认为 Carvajal 估计成千上万人在那里定居这一点是一种夸张而**忽略**了它。

dismiss 的名词形式 dismissal 也有相似的用法，比如：

> Acknowledgement of her technical expertise but dismissal of her subject matter as trivial

🔖**翻译** 对于她技术上的专业性的承认，但是却因为她的主题不重要而**忽略**

请再看一个例句：

> He never demonstrated the wisdom I had claimed for him, and my friends quickly dismissed my estimate of his ability as hyperbole.

🔖**翻译** 他从来不会展示像我所宣称的那般智慧，并且我的朋友们很快便认为我对于他的能力的估计是一种夸张而**不予考虑**。

当然，dismiss 还有一个常见的含义 "辞退"，请看下面的例句：

By idiosyncratically refusing to dismiss an insubordinate member of his staff, the manager not only contravened established policy, but he also jeopardized his heretofore good chances for promotion.

翻译 经理以一种非常独特的方式拒绝**辞退**一个不服从的员工，他不仅仅违反了已经建立的政策，还葬送了之前的升职好机会。

总结：

① dismiss 在 GRE 中的考法是 dismiss A as B，翻译成"认为 A 是 B 而忽略"，此外还有"解雇"的意思。

② 在 dismiss A as B 结构中，B 一定是一个负评价词。

③ 在 dismiss A as B 结构中，由于 A 过长，会倒装为 dismiss as B A。

练习题：

答案 A

解析 方程等号为 none，these 指代的是他的艺术品和他的小说，前面对 Walpole 是一个正评价，后面 none 取反，所以是负评价。对比选项，A 最佳，表示 Victorian 时代的人认为 Walpole 不重要而忽视了他。

翻译 Walpole 的艺术收藏很庞大且吸引人，他的小说 The Castle of Otranto 从来不会绝版；这些都不会引起 Victorian 时代人的注意，他们认为他最多也是个不重要的人而可以忽略。

GRE 阅读的三种最高频题型

有三种 GRE 阅读最高频的题型，它们不仅出现频率高，同时也是所有阅读题型中最简单、最容易得分的题型。这三类题型分别是：主旨题；句子功能题；according to the passage 题。

1. 主旨题解法

这类题的正确答案就是全文的 3s 版本。但是在很多情况下，主旨题的选项写得很"虚"，即选项多会用 a 或 an 等虚指，来指代原文的某个内容。例如选项会用 a position 来指代原文当中某个观点，但是选项不会具体说出这个观点是什么。针对这种题型，首先要找到选项中的虚指在原文中指代什么，把选项"由虚变实"，再用文章的 3s 版本来做。

2. 句子功能题解法

题目问"The author of the passage mentions XXX in order to"或者"The function of XXX is to"，本质上是在问文章中某个句子的功能是什么。这种题一定可以定位到某个句子，定位到这句话的 3s 版本就是这道题的正确答案。

3. according to the passage 题解法

这种题型可以说是 GRE 阅读中最简单的题型，可以直接定位到原文的某句话，这句话的同义改写即为正确答案。

下面通过一篇完整的文章来实践一下上面说到的三种题型：

⬇️ **答案** AB

⬇️ **解析** 第1题：主旨题，因此要找本文的 3s 版本。这篇文章的 3s 版本为 nation-state 这一术语是不对的。A 选项当中的 a form of political organization 指代文中所讨论的单一民族国家这种政治形式，terminology 指代 nation-state 这一术语。因此 A 选项其实是在讲：通过质疑 nation-state 这一术语来讨论单一民族国家这种政治组织形式，与原文 3s 版本契合，因此正确。

第2题：句子功能题，需要找到定位句的 3s 版本。首先定位到 Urban and Sherzer 所在的句子，Urban and Sherzer 的观点为引号中间的内容，即单个国家中存在多个民族会威胁到国家的主权统治。3s 版本为"多民族不好"，本题 B 选项中的 one possible effect 即指代这种负面影响，与原句 3s 版本契合，所以该选项正确。

第3题：according to the passage. 本题问 Hill 和 Spicer 把 nations 定义成什么。关于 nations 的定义，文章只有在第二句的括号中给出了解释，即 specific ethnic groups，做一下同义改写，答案选 B，其中 B 选项的 distinct 同义改写原文的 specific。

所以，在考场上面对一篇 GRE 文章不知所措时，可以先看一下文章后面的题目类型，如果有本文介绍的三种题型，那么按照本文中所介绍的解题方法，阅读的得分率还是有保证的。

读懂阅读题的题干

搞定一篇 GRE 阅读的流程是：读懂文章→读懂题目→找到文章与题目选项的一一对应。

很多同学会认为 GRE 阅读的题干读起来都很简单，因此不重视"读懂题目"。但是当你看到下面几个题目时，会彻底暴露在 GRE 阅读所考查能力上的种种不足。

The author implies that a mineral must either be or readily supply which of the following in order to be classified as an aluminum ore?

解析 我们以前见到的大多数 "either...or..." 的并列结构都是把名词进行并列，但是本句话被并列起来的是两个动词：be 和 supply。

翻译 作者暗示到为了被分类为铝矿，一种矿物质必须是或者必须容易地提供下面哪一种物质？

The author implies that control to any extent over the "frailties" that constrain our behavior is thought to presuppose _____

解析 imply 后面引导宾语从句。从句中的主语是 control，谓语动词是 is。在主语中心词 control 的后面出现。to any extent 意为 "在任何程度上"，作状语插入到了 control over 的中间。

翻译 作者暗示到在任何程度上控制那些束缚了我们行为的 "缺陷" 被认为有下面哪种前提？

Which of the following most probably provides an appropriate analogy from human morphology for the "details" versus "constraints" distinction made in the passage in relation to human behavior?

解析 Which of the following most probably provides an appropriate analogy [1][from human morphology] [2][for the "details" versus "constraints" distinction] [3][made in the passage] [4][in relation to human behavior]?

1. from human morphology 充当状语将 analogy for 分开。

2. for the "details" versus "constraints" distinction 介词结构倒装，修饰 analogy。

3. made in the passage 分词结构倒装，修饰 distinction。

4. in relation to human behavior 介词结构倒装，修饰 analogy。

翻译 下面哪个选项最有可能提供一个合适的从人类形态角度，与人类行为有关的，原文中提到的 "细节" 与 "束缚" 之间差异的类比？

　　本以为会简单很多的题干，没想到依然很难读懂。相比于托福阅读的题干，GRE 的题干会加入大量的修饰限定成分，这些成分往往以后置定语的形式，而且是以大量后置定语叠加、嵌套的形式出现。如果在平时对这种长成分非常不敏感，那么在考场上就要花费大量的时间反复阅读去分析句子，这样本来就不够用的考试时间就会被严重的浪费。

　　读懂长难句要基于长期的训练，不断地加强大脑对于各种类型句子的敏感程度，只有这样才能在考场上快速读懂长难句。

可参考《GRE/GMAT/LSAT 长难句 300 例精讲精练》，仔细阅读这本书的使用说明，学会利用倒装、省略和长句的方式来分析长难句，之后每天可以拿出一个小时的时间，按照使用说明中的理论以及书中的讲解来分析长难句，做到自己可以独立翻译句子，并且最好可以按照书中的讲解自己独立把句子讲解出来，达到这种水平便可以认为是掌握了这个句子。按照此法，持之以恒地练习下去，对长难句很快就会产生"柳暗花明又一村"的感觉。

巧用不定冠词做 GRE 阅读选择题

做对一篇阅读应该分成三个步骤：读懂文章、读懂题目、做对题目。其中，做对题目的要领便是找到原文和选项之间一一对应的关系。而这种一一对应的关系当中，很重要的一点是将选项里面的虚指在原文当中找出指代。

所谓选项当中的虚指，分三种情况：不定冠词 a/an/one/certain；可数名词复数；不可数名词。

在 GRE 阅读的主旨题和句子功能题当中，特别喜欢出现选项虚指的现象。而掌握了选项虚指回原文找指代这一技巧，可以帮助快速解题。应对策略是：
① 正确答案选项中的虚指在原文必然一一对应。
② 如果选项中虚指的内容在文中没有对应，那么这个选项一定是错误选项。

请看下面的例子：

解析　本题为主旨题。正确答案是 C。C 选项中的 an important work，是由不定冠词引导的虚指，指代文中 Paule Marshall 的作品 *Brown Girl, Brownstones*。而本文所讨论的主题也正是这部作品，因此 C 选项是正确的。

再看其他几个选项：

　　A 选项里的 works 以及 three Black American authors，都是可数名词复数，是选项中的虚指。这里的三位美国黑人作家分别指代 Paule Marshall、Zora Neale Hurston 和 Gwendolyn Brooks。works 便指代这三位作家的作品。本选项虚指能找到指代，但是本文讲述其他两位黑人作家的目的，只是为了衬托 Marshall，因此 A 选项所述内容并非本文主要目的，A 选项不选。

　　B 选项中的 common themes 是可数名词复数，在原文中指 the oppressed and tragic heroine in conflict with White society 这种在美国黑人文学中常见的主题。但是本文是为了突出 Marshall 的特殊性，而非强调黑人作家们的共性。

　　D 选项中 insights 是可数名词复数。但是本文作者仅仅对 Paule Marshall 的作品提供了一些见解，而对于整个美国黑人文学并没有提供见解。因此 D 选项不选。

　　E 选项中 historical information 是不可数名词，但是在原文中找不到具体对应，因此不选。

GRE 阅读的大多数选项都会出现上面所说的虚指。掌握了选项虚指在原文中找指代的方法，可以帮助我们快速正确解题。

在《GRE 阅读白皮书》和《GRE 语文高频题目精练与精析》中有大量的阅读题目，用来训练同学们对于选项虚词找指代的敏感性。

GRE 阅读选择题常见的四种错误选项类型（一）——混、偏

前面介绍了 GRE 阅读三大最常见题型（主旨题、句子功能题和 according to the passage 题）的正确选项的选择方法。但是有时很多题目往往很难直接选出正确选项，而要通过排除法来得到正确答案。就像是各个题型都有固定的正确选项的选法一样，错误选项也有自己的一套错误规律：混、偏、反、无。

本篇先介绍前两种常犯错误：混、偏。

1. 混

"混"有以下两种情况：

第一种指的是原文中没有关系的两个事物，在选项中被强行安插了关系。这里的"关系"指的是因果关系、类比关系（强调相似之处）和对比关系（强调不同之处）。如果原文中两个事物 A 和 B 并没有上面所说的三种关系中的一个，那么就认为原文中 A、B 无关，但如果在某个选项中让 A、B 之间有了上面三种关系中的一种，那么这个选项就犯了"混"的错误。

第二种指的是原文中 A 和 B 之间的关系，到了选项中就变成了另外一种关系。例如，原文中 A 与 B 为类比关系，但到了选项里则变成了"A 导致 B"这种因果关系。这也是"混"的错误。

请看下面的例子：

解析　本题中 D 选项犯了典型的"混"的错误。根据原文，Bearden 的艺术创作和社会责任感是类比关系，都可以体现出 Bearden 是一名黑人艺术家。但是 D 选项说社会责任感影响了艺术创作，有了因果关系。根据我们之前讲解的句子功能题的正确解题方法，定位到原文的 3s 版本，本题应该定位到第一段，而第一段的 3s 版本为"Bearden 是一个黑人艺术家"，因此正确答案选 A。

2. 偏

所谓"偏"指的是选项和原文构成了程度上的差异。比如，原文说有两个因素导致某种现象，而选项说只有一个因素就足以导致这种现象，选项与原文存在程度差异，则犯了"偏"的问题。

请看下面的例题：

> **解析** 本题定位点是原文第一段最后一句。本题 C 选项犯了"偏"的错误。第一段最后一句提到了
> political protest 和 social protest 两个内容，但 C 选项只说了 social protest，与原文构成程度差异，
> 因此是"偏"的错误。本题正确选项 B："忽略了至少一些美国黑人诗歌的历史根源"，因为
> 根据文章前两句，Wagner 研究了很多黑人诗歌的历史方面，但是在 Wagner 之前的人则只研
> 究了政治和社会抵抗方面，忽略了历史根源，因此 B 是对的。

GRE 阅读选择题常见的四种错误选项类型（二）——反、无

前面介绍过了用"混"和"偏"两个字来排除 GRE 阅读选择题中的错误选项。下面来介绍另外两种
出现频率更高的选项错误类型——反、无。

1. 反

"反"就是指：选项与原文内容相反，这种选项必错。

请看下面的例题：

> **解析** 本题中 D 选项犯了"反"的错误。根据原文最后一句，黑人报纸是因为广告商们的忽略而不
> 得不去印刷一些耸人听闻的消息（sensationalism），但是 D 选项则说是因为 sensationalism 而
> 导致广告商们的忽略，选项与原文因果倒置，反。本题正确答案为 A，定位于原文第二句话，
> 因为在黑人报纸上打广告不会促进自己产品的销量，因此选择忽略了黑人报纸。

2. 无

"无"有两层概念：第一种指的是选项中的内容在原文中根本不存在，这种选项必错；第二种指的
是选项的内容在原文提到了，但是并不存在于这道题所要定位的位置，即定位错误。

请看下面的例题：

练习题目

解析 B 选项：为什么 Bearden 不能被轻易地分类？这里所谓"不能轻易分类"指的是不能仅仅把 Bearden 当成黑人艺术家，这说的是第二段的内容，因此 B 选项定位错误。

C 选项：为什么 Bearden 的吸引力被很多人认为是普遍化的？本选项粗略来看，有一个 universal 便知是第二段内容，定位错误。精确来看，C 选项还错在"many"，因为第二段只是 Bearden 一个人表达自己的观点，认为自己是 universal，文章并没有说"很多人"认为 Bearden 是 universal。

D 选项：一个艺术家的艺术创作在多么深层次上被艺术家的社会意识所影响。参照之前的文章，本选项犯了"混"的错误。

E 选项：什么使得 Bearden 在同时代的美国黑人艺术家中很独特。本文没有讨论 Bearden 独不独特的问题，属于原文没有。

因此本题正确答案为 A，符合 in order to 题型定位到原文 3s 版本的做法。

从考场实战的角度来看，很多的选择题的正确选项往往不是直接选出来的，而是排除出来的。所以，掌握了"混""偏""反""无"这四种排除错误选项的方法，将会极大程度地提高做题速度。

GRE 阅读中词汇题的做法

GRE 新旧考试阅读部分存在的区别之一是新考试几乎在每场都会出一道词汇题，即问下面五个选项哪一个可以替换原文的某个单词。这个题型很容易让大家联想到托福阅读常考的词汇题，但是 GRE 和托福的词汇题有很大的不同。托福考试针对的是以非英语为母语的人，所以词汇题只是在考查词汇量，不需要参照原文便可以选出正确答案。但是 GRE 这门考试如果还是在单纯考查词汇量，这对于非英语为母语的人来说就不公平。所以 GRE 阅读 90% 的词汇题如果脱离原文是不可能做出来的，因为 GRE 的词汇题是以借词汇为名来考查对于文章的理解能力。针对这种情况，词汇量已经派不上用场了。

因此，GRE 阅读词汇题最佳的解决方案是：当成填空题。将所考查的单词在原文中挖空，利用句内句间关系，得到正确答案。

请看下面一道例题：

练习题目

解析 根据我们的做法，现将本题所考查的句子提取出来改成填空：

Consequently, both the public and the scientific community have often been misled by widespread dissemination of _____ but **weakly founded** hypotheses.

方程等号：but，前后取反。

强词和对应：weakly founded（站不住脚的），负向含义。

因此可以得出空格处应该填正向含义单词，因此 B、E 排除掉。同时因为 C、D 两个选项本就是同义词，因此都不能选，故答案为 A。

sensational：A sensational result, event, or situation is so <u>remarkable</u> that it causes great excitement and interest. 戏剧性的；轰动性的

dramatic：A dramatic change or event happens suddenly and is very <u>noticeable</u> and <u>surprising</u>. 突然引人注目的

sensational 可以解释为"大新闻的"，比如发现了外星人。

再看一个例子：

练习题目

⚲ **解析** 改成填空如下：

Recent years have witnessed the posthumous _____ of the role of the hobbyist Alice Austen into that of a pioneering documentarian while dozens of notable senior figures—Marion Palfi, whose photographs of civil-rights activities in the South served as early evidence of the need for protective legislation, to name one—received scant attention from scholars.

方程等号：while，前后取反。

强词和对应：scant（少）。因此空格处应该填一个表示"多"的单词，故答案选 A。通常情况下把 inflation 一词的理解为"膨胀"，但在此题中考查了"夸张"这一含义。

最后看一个例子，此题也是典型的考查熟词僻义的词汇题，需要用填空的方法来做：

练习题目

⚲ **解析** 改成填空如下：

But despite her formidable gifts as a polemical and _____ writer, and for all her reputation as an intellectual who sacrificed feeling to intelligence, what powers McCarthy's best essays are her fictional rather than strictly intellectual gifts.

方程等号：and，前后取同。

强词和对应：gift"天赋"，正向态度。polemical"善于辩论的"。因此空格处应填一个正向

态度含义并且与"善于辩论"有关的单词。因此 D 选项"分析的"是正确的。A 选项"多产的"与"辩论"无关；B 选项"诡辩的"负向含义；rambling（凌乱的）是 discursive 的本意，但放到此题中不合适；E 选项"迂回的"与"辩论"无关。

总结：

GRE 阅读词汇题的做法：当成填空题。将所考查的单词在原文中挖空，利用句内句间关系，得到正确答案。

阅读态度题必错选项特征

在 GRE 阅读文章中，有一种难度比较高的题型——态度题。简单的题型往往可以根据题干回到原文做具体的定位，正确选项就是定位处的同义改写。但是态度题往往会问文章作者在整篇文章中所表达的态度，因此就很难具体定位，同时正确答案也不会是简单的同义改写，而应该在读懂文章的基础之上把题目做出来。

不同的文章，作者所表达的态度也都千变万化，就算态度一样，但是表达方式五花八门，因此态度题没有什么"高频正确的选项"，相反，却有"高频错误的选项"。

如何总结错误的选项？其实很简单，只要从"GRE 文章是严谨的学术文章"这一基本原则出发即可。既然是学术文章，那么就一定要有一个鲜明的态度。

1. 表示"没态度"的选项就是明显的错误选项：

detached：Someone who is detached is not personally involved in something or <u>has no emotional interest in it</u>. 超脱的

resigned：If you are resigned to an unpleasant situation or fact, <u>you accept it without complaining</u> because you realize that you cannot change it. 顺从的

capricious：Someone who is capricious often <u>changes their mind unexpectedly</u>. 变化无常的

2. 严谨的学术文章往往会避免用"极端的"态度来表明自己的公正客观：

complete, entire, total, absolute, uncritical, unqualified, unrestrained

3. 学术文章也不可能有情绪化的表达：

irritated：If something irritates you, it keeps <u>annoying</u> you. 愤怒的

mocking：A mocking expression or mocking behaviour indicates that you think someone or something is <u>stupid or inferior</u>. 嘲弄的

deride：If you deride someone or something, you say that they are <u>stupid or have no value</u>. 嘲笑

cynical：If you are cynical about something, you <u>do not believe</u> that it can be successful or that the people involved are <u>honest</u>. 愤世嫉俗的

jocular：If you say that someone has a jocular manner, you mean that they are <u>cheerful</u> and often make jokes or try to make people laugh. 爱开玩笑的

学会了以上知识点，来做两道阅读题试试：

Which of the following best describes the author's attitude toward Gaskell's use of the method of documentary record in Mary Barton?

A. Uncritical enthusiasm

B. Unresolved ambivalence

C. Qualified approval

D. Resigned acceptance

E. Mild irritation

解析　A. Uncritical enthusiasm（极端的热情），极端类，错。

B. Unresolved ambivalence（未经解决的矛盾），没态度类，错。

C. Qualified approval（有限的认可）正确。

D. Resigned acceptance（顺从地接受），没态度类，错。

E. Mild irritation（轻微的愤怒），情绪类，错。

The author regards the idea that all highly creative artistic activity transcends limits with

A. deep skepticism

B. strong indignation

C. marked indifference

D. moderate amusement

E. sharp derision

解析　A. deep skepticism（深深的怀疑），正确。

B. strong indignation（强烈的愤怒），情绪类，错。

C. marked indifference（明显的冷漠），没态度，错。

D. moderate amusement（轻微的娱乐），不严肃，错。

E. sharp derision（尖锐的嘲讽），情绪类，错。

GRE 阅读中"老观点"的表达方法

在阅读学术文章时，最希望达到的状态是读了上一句，就能够预判到作者接下来要讲的内容是什么。通过不断做预判的方法，可以把一篇文章读得又准又快。而在 GRE 的文章中，有一个一般的原则，那就是"喜新厌旧"：老观点往往会被否定，而新观点往往往会被支持。"喜新厌旧"这一原则利用的是时间上的强对比现象。所以，在以后的阅读中，只要利用一些关键词判断出来这是一个老观点，便可以很容易预测到这个观点是要被反驳的。

常见的表示老观点的表达有：traditionally, conventionally, until recently, orthodox 以及过去的时间点，比如 19 世纪等等。

看下面的例子：

练习题目

解析　第一句：根据一个传统的观点，19世纪俄国的农奴制度阻碍了经济发展。3s版本：农奴制不好。

第二句：以这种观点来看，俄国农民作为农奴的地位会通过现金、劳动力和货物形式的税收、通过限制移动性、通过各种各样的压迫来使得他们一直是贫穷的。3s版本：依然是农奴制不好。

第三句：出现了however，得知要发生转折：然而，Melton认为农奴制度非常完美地适应于经济的发展，因为很多俄国农奴能够绕过地主的规则和制度。3s版本：农奴制度好。

在本段中，第一句话出现老观点标志词conventional，得知这个认为农奴制度不好的老观点在后文可能要被反驳。到了第三句，果然老观点被反驳掉了。

再看一个例子：

练习题目

解析　第一句：直到目前，很多人类学家认为现在是美国西南部的环境塑造了这一地区土著民族的社会历史和文化。3s版本：环境塑造社会。

第二句：基于这个假设，考古学家认为恶劣的环境和干旱导致了西南部人口从他们曾经定居过的地方消失和迁移。3s版本：恶劣环境导致人口迁移。

第三句：出现however发生转折：然而，这种确定性的观点没有承认西南部的环境变化使得概括环境变得困难。本句话的功能便是通过指出上文中老观点的缺陷来进行反驳。

第一句话中的until recently本身就是老观点的标志，同时前两句话是顺承关系，因此可知前两句话的观点在后文可能会被反驳掉。在第三句话中果然就被批判了。

总结：

当文中出现了类似于traditionally, conventionally, until recently, orthodox等表示老观点的表达时，它们所在的观点往往要被后面的新观点反驳掉。

GRE阅读中"多数人观点"的表达方法

前面提到了"喜新厌旧"的原则，即老的观点在一篇文章中往往会被反驳。本篇介绍"标新立异"的原则。所谓标新立异，指的是文章中多数人持有的观点往往会被反对，而少数人持有的观点会被支持。

表达多数人持有观点的表达有：widely held, generally, popular, consensus, prevail, prevalent等等。

请看下面的例句：

A critical consensus has emerged that Mary McCarthy will be remembered primarily as an essayist rather than as a novelist. But despite her formidable gifts as a polemical and discursive writer, and for all her reputation as an intellectual who sacrificed feeling to intelligence, what powers McCarthy's best essays are her fictional rather than strictly intellectual gifts.

翻译　评论界有一个**共识**，那就是 Mary McCarthy 主要会被认为是一个散文家而非一个小说家。尽管她有作为善于辩论并且善于分析的伟大天赋，尽管她是一个将情感牺牲于理性的学者，但是使得 McCarthy 的最好的散文更有力量的是她的小说天赋而非严谨的理性的天赋。

解析　本文第一句有关键词 consensus，共识。既然是共识，即表明是大多数人持有的观点，认为 McCarthy's 是散文家。这一观点在第二句得到了反驳。

Biologists generally agree that birds and dinosaurs are somehow related to one another. The agreement ends there. Hypotheses regarding dinosaurian and avian evolution are unusually diverse—and often at odds with one another.

翻译　生物学家**普遍**同意鸟类和恐龙互相之间有关联。这一共识到此结束。关于恐龙和鸟类进化的假说通常很多样——经常会互相矛盾。

解析　本文第一句 generally（普遍地），证明是多数人的观点，认为生物学家是有共识的。但是这一观点在后文被反驳，认为关于鸟类和恐龙进化的假设非常多样，因此生物学家之间没有共识。

According to the common definition, hunter-gathers are those who subsist by hunting wild animals and gathering wild plants. Yet these criteria beg numerous questions, including the issue of what constitutes "wild".

翻译　根据一个**普遍的**定义，采猎者是通过打猎野生动物和采集野生植物来进行生存的人。但是这些标准带来了很多问题，包括什么是"野生"的问题。

解析　本文第一句 common 证明是多数人持有的观点。第二句出现 yet，质疑了这一观点。

总结：
当文中出现了多数人持有的观点时，这一观点往往会被反对。

GRE 阅读中"并列列举"的处理方式

GRE 阅读拿不到高分有很多的原因：词汇量太少，长难句读得太慢，脑容量太小以至于读了后面忘了前面，句内句间关系把握不好导致对文章理解偏差，等等。在 GRE 文章中非常常见却令考生感到非常畏惧的一种现象则是文中出现了大段的并列列举。所谓"并列列举"指的是一句话中同时列举了许多内容，或者在一个句子里因为平行结构太多，而导致句子写得太长。比如：

> Our "frailties"—emotions and motives such as **rage, fear, greed, gluttony, joy, lust, love**—may be a very mixed assortment, but they share at least one immediate quality: we are, as we say, "in the grip" of them.

本句中黑体部分便是同时列举很多内容的例子。

> In what, as one reviewer put it, was "clearly intended to be a realistic novel," many reviewers perceived violations of the conventions of the realistic novel form, pointing out variously **that** late in the book, the narrator protagonist Celie and her friends are propelled toward a happy ending with more velocity than credibility, **that** the letters from Nettie to her sister Celie intrude into the middle of the main action with little motivation or warrant, **and that** the device of Celie's letters to God is especially unrealistic…

本句则是由若干个 that 引导的宾语从句构成的大量平行结构。

当考生遇到类似句子的时候，总是想要搞懂这个句子的结构和含义，以至于浪费了大量的宝贵时间。其实在文章中若是遇到并列列举，反而给节省阅读时间提供了机会。针对阅读中的并列列举现象，只要按照以下八个字来进行处理即可：只记位置，不记内容。

"不记内容"是因为能够被并列列举的一定是例子，而例子要服务于观点。因此只要把握了观点的 3s 版本，则并列列举处的 3s 版本应该和观点是一样的，因此可以不关注并列列举的具体内容。

"只记位置"则是因为针对并列列举的地方，如果并列长度在三个以内，那么后面往往会出现三个选项的不定项选择题，如果并列内容超过三个，后面可能会出 EXCEPT 类的排除题。因此在阅读中记住并列列举所在的位置，一旦后面出了题，则可以快速地回原文定位，做出相应题目。

请看例题：

解析 本题问的是除了哪个选项，都是在 Bearden 的拼贴画中被描述的。由此可知定位到原文横线处并列列举的地方。A 对应原文第 1 处黑体字；B 对应第 2 处；C 对应第 3 处；E 对应第 4 处。D 选项无法找到对应，因此答案选 D。

总结：

虽然 GRE 阅读作为浓缩的学术文章，通常来讲，里面的每一个单词都应该仔细阅读。但是有的情况下，也可以通过略读的方式来减少阅读时间。并列列举便是文章里最常出现的可以略读的部分。

最简单的阅读题型——according to the passage

GRE 的阅读文章中最简单的题型的标志就是题干中出现 "according to the passage"，这类题甚至在读不懂文章的情况下依然能够做对。

既然是 "according to the passage"，那就一定意味着正确答案是可以在原文中找到的。这种题的做法是：
第一步：题干一定会告诉你这道题正确答案出现在文章的哪一句话。
第二步：正确选项一定是定位到的那句话的同义改写。

第一步是靠眼力，第二步是靠找出词与词之间的对应关系。

请看下面的例子：

练习题目

1.

解析 第一步：根据题干中的关键词 "reexposed to an odorous environment after an extended absence" 可以将这道题定位到第一段最后一句。
第二步：找到选项与原文的同义改写。选项 B 的 "perceive the odor" 同义改写了原文 "elicit perception"，"less intense" 改写了 "fail to elicit perception...intensity"，"first" 改写了 "original"。所以答案是 B。

2.

解析 第一步：根据题干中的关键词 "great significance within British culture" 得知本题定位到文章最后一句。
第二步：找到选项与原文的同义改写。本题问的是传记在英国文化中取得重大意义的原因，而原文最后一句的 "through" 就是表原因的介词，因此本题的答案可以精确定位到 through 所引导的分句，原文 "sheer ubiquity（无处不在）" 就等于 C 选项的 "widespread"，所以答案是 C。

97

你每天做的阅读文章难度系数到底是几

很多同学都会对自己做过的题目的难度感到非常好奇，好像知道了文章的难度，简单的题就可以不用做，太难的题也不会做。而我们做的大多数文章都没有官方难度标定，就算是考试之后的官方判据，上面也只有针对每道题目的难度标注，没有给文章进行难度划分。官方难度评判标准或许永远无法得知，而且如果只是凭借主观感受对文章难度进行划分，也是不客观和不科学的。

根据我们对阅读文章的处理思路，文章的难度评价可以参考下面五个标准：

标准 1：简单句间关系，即文章只存在由 But, Yet, however, Nevertheless 导致的句间取反，或者通篇文章不存在转折。而且因为所有文章都会存在简单句间关系，因此每篇文章的基础难度都是 1。

标准 2：是否出现换对象或负态度词取反。如果有，则难度加 1。

标准 3：是否出现封装（But 封装或广义封装）现象。如果有，则难度加 1。

标准 4：文章内容是否存在程度差异。当文章内容本身并不是非黑即白的直接取反的时候，文章的内容往往不容易做到精确理解。出现程度差异，则难度加 1。

标准 5：语言难度。当文章本身出现特别难以理解的句型、修辞手法，或者文章谈及的主题过于抽象晦涩（比如神经科学类文章），则难度加 1。

如果你对于上述 "But 封装" "广义封装" 等概念觉得一头雾水，请参考《GRE 阅读白皮书》的方法论部分。

因此，对于一篇文章的难度标定，基础难度是 1，上面的标准 2 到标准 5 每出现一次，难度便增加 1（如果上述的某个标准重复出现，则只算一次）。因此一篇文章难度最低是 1，最高是 5。

用一篇《GRE 阅读白皮书》中的经典文章 "二月革命" 为例，来看看上面的难度标定方法的具体使用。

第一段：

❸ For each of the three other major insurrections in nineteenth-century Paris—July 1830, June 1848, and May 1871—there exists at least a sketch of participants' backgrounds and an analysis, more or less rigorous, of the reasons for the occurrence of the uprisings. ❹ Only in the case of the February Revolution do we lack a useful description of participants that might characterize it in the light of what social history has taught us about the process of revolutionary mobilization.

第三句说其他三场革命有历史记录，第四句说二月革命没有有效历史记录，两句话之间存在换对象取反，难度 +1。

第三段：

❷ Experiences are retold, but participants typically resume their daily routines without ever recording their activities. ❸ Those who played salient roles may become the objects of highly embellished verbal accounts or in rare cases, of celebratory articles in contemporary periodicals. ❹ And it is true that the publicly acknowledged leaders of an uprising frequently write memoirs. ❺ However, such documents are likely to be highly unreliable, unrepresentative, and unsystematically preserved, especially when compared to the detailed judicial dossiers prepared for everyone arrested following a failed insurrection.

第二句说成功的革命没有书面记录。第三句说扮演显眼角色的人物成了书面记录的对象，第四句说存在回忆录这样的书面记录，所以三、四句都在说有书面记录。逻辑和第二句出现扭曲，而第五句的However 后面说书面记录不靠谱，所以第三、四、五句封装与第二句取同，出现封装，难度 +1。

此外，本文并没有直接说二月革命没有记录，而是说没有有效记录。因此是一种程度上的差异，难度 +1。

而文章第一段第四句 Only in the case of the February Revolution do we lack a useful description of participants that might characterize it in the light of what social history has taught us about the process of revolutionary mobilization 出现了大量倒装现象，句式复杂，难度大，语言难度 +1。

综上所述，根据我们的难度标定标准，本文包含了所有五条标准，所以难度为 5。

总结：

虽然知道文章的难度本身并不会增加读懂文章的几率，但是在备考的不同阶段，用不同难度的题目进行针对训练，一步一个脚印地按照难度等级提升自我实力，很有指导意义。同时，每做完一篇文章就按照本文所介绍的五个标准去回顾文章难度的划分，则可以不断强调阅读中最重要的方法论，进一步巩固掌握的阅读方法。

用这招提高阅读速度

想象一下这幅场景：当你坐在考场上看着屏幕中 Verbal 部分倒计时还剩下 1 分钟时，还有一篇短文章没有开始阅读，这个时候，手脚冰凉、眼冒金星、大脑空白这一系列词语都无法描述你的状态。在倒计时的最后 5 秒，凭直觉匆匆按下两次鼠标，结束了这噩梦一般的体验。

如何避免上面的悲剧发生？提升阅读速度是大家都能想到的答案。可是提升阅读速度，又该从何处下手呢？其实，答案很简单，无非是提升阅读能力的两个方面——语言和逻辑。

当你的英文阅读能力和中文阅读能力一样强、读英文和读中文一样快的时候，阅读速度的提升是不言而喻的。而逻辑则是指通过对一篇文章的句内句间关系的把握，来快速地对后文做出预判，带着预判读文章，从而加快阅读速度。

可是，语言能力和逻辑能力往往需要很长的时间去提高。那么有没有一种办法可以在短时间无法提升自己的阅读能力的情况下，还能按时做完一篇阅读呢？答案是肯定的。虽然阅读速度的确很难提升，但是可以反其道而行之，通过减少阅读的内容，来减少阅读的时间。

GRE 文章是浓缩的学术文章，每一个句子，每一个单词，甚至是每一个标点符号都应该读。因此，应该用"略读"的方法来"减少"阅读的内容。"略读"不等于"不读"。略读指的是读到重要的地方，一定要弄懂；而读到可以略读的地方，则能读懂就读，读不懂就读一遍过。

什么地方是可以"略读"的呢？

1. 并列列举

并列列举指的是出现了平行结构，把大量的例子并列起来的一种句型。既然是例子，那么一定是服务于观点的，观点往往会写到例子的前面。因此把前面的观点读懂，后面并列列举中的例子的 3s 版本应该和观点的 3s 版本一致，因此并列列举的内容也就可以略读了。例如：

> The subject matter of Bearden's collages is certainly Black. **Portrayals of the folk of Mecklenburg County, North Carolina, whom he remembers from early childhood, of the jazz musicians and tenement roofs of his Harlem days, of Pittsburgh steelworkers, and his reconstruction of classical Greek myths in the guise of the ancient Black kingdom of Benin, attest to this.**

解析 上文加粗部分是典型的并列列举结构，在文中充当例子的角色。前一句话是本段的观点，认为 Bearden 的拼贴画的主题是黑人。因此后面的并列列举也是在说 Bearden 的拼贴画是黑人的主题。按照这种略读的方法，本段可以在几秒钟之内读懂。但要是仔细分析并列列举部分的话，会发现本句其实有两个主语，portrayals 和 reconstruction，另外，句子里有三个 of 引导的介词结构倒装构成平行结构修饰 portrayals。把这个句子的结构分析清楚是很费时间的。因此在阅读时遇到并列列举的地方就进行略读可以省掉大量阅读时间。

翻译 Bearden 的拼贴画的主题当然是黑人。对他小时候就记住的北卡罗来纳州 M 郡的人民的描绘，对他在 Harlem 时代的爵士音乐家和房顶的描绘，对匹兹堡钢铁工人的描述以及他以古代黑人贝宁帝国为背景的对希腊古典神话的重现，都证实了这一点。

2. 已知术语

因为 GRE 不考查背景知识，因此如果文中出现专业术语，后面一定会用通俗的语言进行解释。考生又或多或少具有一定的专业背景，因此如果文章对一个你已经认识的专业术语进行解释，那么解释的部分可以略读。

3. 实验方法

在理工科文章中，经常会描写实验。描写一个实验通常分成三个部分：实验原理、实验方法和实验结论。在这三个部分中，实验方法往往只是一些步骤的罗列，单纯是一些细节，因此可以略读。文章里实验方法的部分通常会用 by, via, through 之类的介词来引导，因此比较容易识别。

总结：

GRE 阅读本质上就是学术阅读。一篇文章就算被改编，依旧具有学术文章的本质。对并列列举的部分进行略读处理，本质上就是学术文章中习惯性的用大量例子来对观点进行"例证"。既然是证据，那么其内容必然与观点一致。学术文章为了照顾到尽可能多的读者，会对专业术语进行解释，那么有相关背景的人自然是不需要重视这些解释的。GRE 文章考查的是学生赴美进行科学研究的能力，而读懂原理比读懂实验方法更能体现出一个人在科研方面的创造力。所以从学术阅读的角度来看，上述三种略读原则是合理并且科学的。

"闭着眼"做对驳论文的主旨题

面对那么多 GRE 阅读选择题题型，尽管三大高频题型——主旨题、according to the passage 题以及句子功能题——是大部分考生都能做对的。可是到了考场上，所有题型都是难题。那么有没有一种题型，即使在考场上的"兵荒马乱"之时，还能迅速做对呢？

有这么一类文章，它的主旨题几乎就是送分的，那就是驳论文。驳论文的开头会先描述一个老观点（或是一个多数人持有的观点），然后出现一个转折句，对老观点进行批判，但是直到文章的末尾都没有再提出新的观点。对这种驳论文来说，它的主旨是非常固定的，那就是"反驳了一个观点"。因此主旨题的正确选项就是在说"反驳一个观点"。

用两篇文章的例子来验证一下这种做法：

第一篇文章的第一句，很多学者提出观点，认为政府在南方制造业的投资刺激了战后的经济。**第二句紧接着出现了 But，句间取反，批判首句，认为这些投资没有刺激经济**。直到本文结束，文章都一直在论证，政府的投资主要流向了军工厂，而军工厂无法刺激战后经济。因此本文是驳论文，主旨就是反驳第一句的观点。根据前文所提出的方法，主旨题正确选项是 B，由 challenge 这一负态度词开头。B 选项中的 a widely held position 指代的便是本文第一句的观点。

值得注意的是 A 选项，**"提出了一个替代性的解释"**。这种选项是驳论文主旨题中常见的混淆性选项。本文只是反驳了老观点，而并没有提出新观点。本文如果提出新观点，应该说既然政府投资没有刺激南方经济，那么要告诉我们政府投资到底达成了什么目标。

第二篇文章第一句是老观点，认为美洲在 40,000 到 25,000 年之前是有人居住的。**第二句 However 反驳这一观点**，接下来文章每一句都以澳大利亚为桥梁，认为美洲有人类遗址的可能性应该比澳大利亚大。但是美洲都找不到遗址，于是只能说明当年美洲没有人居住。因此主旨题答案选 A, objection 表示"反驳"。

本题中有迷惑性的是 D，"纠正一个误解"。要注意 correct 一词表示"纠正"，意味着在反驳老观点的同时，还要再提出新观点。但是本文一直在证明 40,000 到 25,000 年之前没有人居住，而没有告诉我们到了哪一年才开始有人居住，因此 D 不正确。

除了驳论文的主旨题之外，其实 GRE 阅读中有大量题型的做法是有章可循的。掌握完整的阅读答题方法，不仅可以提高阅读速度，更可以大大提升答案的准确率。

"闭着眼"做对长文章的主旨题

面对 GRE 阅读长文章，绝大多数考生会采取两种方式，要么干脆放弃；要么把长文章留到最后，利用几分钟草草看一眼文章。

其实，从考试学的角度来说，长文章本身的阅读难度确实很高，因此出题人为了控制难度，会把题目出的相对简单一些。甚至从规律上来讲，如果是一篇极其抽象难懂的文科类文章，后面的题目做起来甚至比短文章还要顺手，因为很多题目的做法在长文章里是有章可循的。

长文章里最有规律可循的题型当属主旨题了。下面以一篇长文章的主旨题为例，来看一下做长文章主旨题的规律。了解这些规律后，甚至可以做到不读文章，就能直接选出答案。例如：

题目：

> **The passage is primarily concerned with**
>
> A. criticizing adherents of a traditional view for overlooking important data
>
> B. reconciling two different explanations for the same phenomenon
>
> C. describing a reformulation of a traditional interpretation
>
> D. advocating a traditional approach to a controversial subject
>
> E. suggesting that a new interpretation is based on faulty assumptions

本题 A 选项，根据之前谈到的"驳论文主旨题做法"，是 criticize 这一负态度词开头的选项，因此如果要选 A 选项，那么其对应的文章应该是一篇驳论文。但是，对于一篇长文章来说，为了保证篇幅写得足够长，仅仅写成驳论文是不够的，长文章采取的结构往往是老观点+批判老观点+新观点这种"三明治"结构。因此 A 可以排除掉。

B 选项的关键词是 reconcile。GRE 的文章中如果出现两个及以上的观点，那么这些观点之间肯定是对比关系。所谓对比，强调的是不同之处。而 B 选项则是在说把两种不同的解释统一了起来，这违背了对比原则。

C 选项看不出明显错误，因此可以保留。

D 选项违背了"喜新厌旧，标新立异"的原则。D 选项说倡导了一个传统的方式。但是按照 GRE 文章的规律，老观点往往应该被反驳掉。因此 D 可以排除掉。

E 选项也违背了"喜新厌旧，标新立异"的原则。E 选项说一个新的解读是基于错误的假设，这相当于是反驳了新观点。E 可以排除。

因此答案只能选 C。接下来看一下这篇文章片段，来验证一下 C 选项对不对。

文章片段：

……

In making this argument, Gerteis offers the most persuasive formulation to date of the Growth of a Dissenting Minority interpretation, which argues that a slow but steady evolution of a broad-based Northern antislavery coalition culminated in the presidential victory of the antislavery Lincoln in 1860. This interpretive framework, which once dominated antislavery historiography, had been discounted by historians for two basic reasons.

……

Gerteis revives the Growth interpretation by asserting that, rather than Southern attitudes, the unified commitment of Northern reformers to utilitarian values served to galvanize popular political support for abolitionism.

……

通过上面的片段可以知道，这篇文章大概是在讲一种解读方法，曾经在这一领域占有主导地位，后来被历史学家反驳掉，最后 Gerteis 又重新恢复了这一解读方法的有效性。因此本文的主旨就是 Gerteis 恢复了这一方法，C 选项符合本文 3s 版本，因此 C 正确。

综上，做长文章主旨题的规律有：
① 长文章写成驳论文的概率不高，因此负态度词开头的选项往往不选。
② 长文章里的观点往往是对比关系，因此有 reconcile 的选项往往不选。
③ 喜新厌旧，标新立异。支持老观点和反驳新观点的选项往往不选。

当然，上面讲的只是从规律的角度来帮助大家快速锁定答案。但是只要是规律，就会有例外。考场上最完美的解决方法是通过做题规律，快速锁定正确选项，再把文章读懂，验证刚才选出的选项。这样的做法既快速又准确。

GRE 逻辑题中加强题的做题方法

很多同学在备考 GRE 逻辑题时，面对名目繁多的各种题型，比如加强题、假设题、解释题，不是把它们搞混，就是搞不明白每种题型的含义。于是对于没接受过训练的同学来说，做逻辑题就只剩一种方法——凭感觉，而这种感觉也往往就是选择和原文"长得最像"的选项。

但是，逻辑题的每种题型含义都是不同的，因此每种题型的做题思路都是不一样的。下面就来看一下加强题的做题思路。

如果一道题目问下面哪一个选项可以加强原文，那么这就是加强题。题干中常见的表达有：support, strengthen, provide additional evidence 等。做对这种题目，只需要遵循一个原则，那就是选项要提升原文成立的可能性。所以如果某道题目中所描述的事件发生的概率是 0，那么正确选项可以是将原文成立可能性提升为 1% 的选项，也可以是将其提升为 100% 的选项。

以一篇经典的文章片段为例，通过其中对某个观点的加强过程，来感受一下什么叫"提升原文成立的可能性"。

文章片段：

① Since the 1970s, archaeological sites in China's Yangtze River region have yielded evidence of sophisticated rice-farming societies that predate signs of rice cultivation elsewhere in East Asia by a thousand years. ② Before this evidence was discovered, it had generally been assumed that rice farming began farther to the south... ③ Proponents of the southern-origin theory argue that the first hunter-gatherers to develop rice agriculture must have done so in this southern zone, within the apparent present-day geographic range of wild rice.

① Yet while most strands of wild rice reported in a 1984 survey were concentrated to the south of the Yangtze drainage, two northern outlier populations were also discovered in provinces along the middle and lower Yangtze, evidence that the Yangtze wetlands may fall within both the present-day and the historical geographic ranges of rice's wild ancestor.

本文第一句通过在长江流域出产的水稻种植社会证据早于东亚其他地方，来说明一个观点：水稻种植起源于长江。接下来一句话与第一句构成时间对比取反，讲的是老观点，认为水稻种植起源于更靠南的地方。再接下来一句话就可以体现"提升原文成立的可能性"了。第三句想要加强的是"水稻种植起源于更靠南的地方"这一观点。它说南方区域是今天野生水稻的地理分布范围。

首先要知道某个地方有野生水稻，而且还得是在古代有野生水稻，是这个地方成为水稻种植起源地的前提条件。因此第三句说南方是今天野生水稻的分布范围，这一点是在直接加强南方在古代有野生水稻分布。

今天有野生水稻，在古代就一定有野生水稻吗？不一定。可是，今天有野生水稻的分布极大地提升了在古代有野生水稻的可能性。同时，古代有野生水稻分布就一定能说明这个地方是水稻种植的起源地吗？

也不一定，但是古代有野生水稻极大地提升了这里是水稻种植起源地的可能性。

因此第一段后两句的推理过程为：南方今天有野生水稻→南方古代有野生水稻→南方是水稻种植的起源地。

再看第二段，开头的 Yet 证明与上一段取反，这一段想要加强的是长江是水稻种植的起源地。其加强方式为：长江中下游流域在 1984 年发现了两株野生水稻品种，这一点提升了长江流域在古代有野生水稻的可能性，进而提升了长江是水稻种植起源地的可能性。其推理过程为：1984 年长江发现了两株野生水稻品种→长江在古代有野生水稻→长江是水稻种植起源地。

但是，上述推理过程只能提升长江是水稻种植起源地的可能性，因此最终只能说明长江"有可能"是水稻种植的起源地，而非"一定是"起源地。

很多同学在读上面这篇 GRE 文章的时候，往往会觉得内容很难理解，主要原因之一就是这篇文章明明想要证明水稻种植起源于哪里，结果一直在讨论野生水稻的分布范围。但是只要用加强题的思路再看一下这篇文章就会知道，文章并没有想说水稻种植一定起源于哪里，而只是想要用野生水稻的分布范围，来加强水稻种植起源于哪里的可能性。

由此可以看出，学好逻辑题，不仅可以提升自己的考试分数，还能帮助理解 GRE 阅读的论证方式。

GRE 逻辑题中假设题的做题方法

假设题是一种比较难的题型。对没有考试经验的同学来说，可能会把假设题中"假设"一词理解错误，以为假设不过是一种主观臆断，是一个不确定的观点。其实假设题中的"假设"并非这个含义。而对学习过 GRE 的同学来说，假设题的做法是"取反削弱"——取反之后削弱原文的选项是正确答案。又要取反，又要削弱，很多同学就被绕晕了，于是为了省事，就认为既然取反削弱的是正确答案，那么没取反而加强原文的选项难道不也是正确答案吗？

那么到底什么是假设？假设题能不能和加强题等同？

首先，假设题的标志有：assume, assumption, depend on, rely on 等，题干的问法通常是"文章的结论依赖于下面哪一个假设"。这里的"假设"指的是原文结论赖以成立的"必要条件"。这里需要对"必要条件""充分条件""充要条件"这三个概念进行区别：

1. 必要条件：如果没有它，结论就无法成立的条件（有了它，结论未必一定会成立）。比如"小明是大学生"是"小明是大二学生"的必要条件，也是前提假设。

2. 充分条件：有了它，结论一定会成立（没有它，结论不见得不成立）。比如"小明是大二学生"是"小明是大学生"的充分条件。

3. 充要条件：如果原因和结论是等价的，那么原因和结论互为充要条件。比如"小明是大学生"和"小明在上大学"是等价命题，因此互为对方的充要条件。

理解了这些概念后，假设题的做题方法也就很好理解了。既然"假设"是结论成立的必要条件，这也就意味着没有这个假设，原文无法成立，即"没它不行"。将假设取反，就可以起到没有这个假设的作用，而"不行"指的是原文结论被削弱。因此假设题的做题方法就是取反之后削弱原文的选项就是这篇文章结论赖以成立的假设。

假设题不一定能当成加强题来做。加强题的正确选项只要提升原文成立的可能性就行了。因此，如果仅仅只是想提升结论成立的可能性，那么其必要条件、充分条件、既不充分也不必要的条件都可以加强原文，还是以"小明是大二学生"这一结论为例：

1. "小明是大学生"可以提升"小明是大二学生"的可能性，同时是其必要条件。

2. "小明作为一名大学生，正在上大学"也可以提升"小明是大二学生"的可能性，同时是其充分条件。

3. "小明喜欢参加大学社团活动"也可以提升"小明是大二学生"的可能性，但是"喜欢参加大学社团活动"不见得一定是"大二学生"，因此"参加社团活动"不是"大二学生"的充分条件。同时，"不喜欢参加大学社团活动"也不见得不是"大二学生"，因此"参加社团活动"不是"大二学生"的必要条件。由此可见，既不必要也不充分的条件也可以加强原文结论。

综上，某一结论的假设一定可以加强这一结论，但是能加强这一结论的条件未必是假设。

用 GRE 逻辑题的思维做阅读文章

极其浓缩的文本内容、大量的长难句、两分钟之内做完一道题目的时间压力，这些都使逻辑单题成为众考生心中的梦魇。再加上大多数考生在备考 GRE 之前并没有经历过逻辑单题所要求的逻辑训练，刚刚上手时，逻辑题几乎永远都做不对，正确率还比不上长文章。

一场考试只会有两道逻辑题，其"性价比"之低也让大多数考生选择放弃。不去做逻辑单题还有可能考到 170，做了反而就 165 分了，因为做逻辑题花掉的时间使得你损失了在其他文章上拿分的机会。

但是，在备考时要接受逻辑题的思维训练，这样可以提升理解 GRE 阅读文章的能力。因为在很多的 GRE 文章里，经常会用到逻辑题的做题方法来论证文中的观点。比如，逻辑题中的常考题型加强题的做题思路：选择一个选项去提升文本所提观点的成立的可能性，也可以用于 GRE 阅读文章里作为支撑作者论点的一种方式。

加强题的做法有很多，其中较常见的一种是"排除他因"。所谓排除他因，指的是当要证明"A → B"时，可以列举出其他导致 B 会发生的原因（如 C、D、E），然后说这些其他因素都不会导致 B，因此就提升了 A 导致 B 的可能性。比如，要证明"他因为期末考试前上了班主任的补习班才考了高分"，可以说他既没上过别人的课，也没有特别高的天赋和智商，这样的话就提升了班主任的补习班导致他考高分的可能性。

这种"排除他因"的思维方式也出现在了 GRE 阅读文章中。请看下面一段例文：

Some researchers claim that cetaceans—whales and dolphins—have culture, which the researchers define as the ability to learn from one another. Skeptics, however, demand clear evidence that cetaceans can acquire new behaviors through some form of social learning, preferably clear-cut instances of imitation or teaching. But such evidence is difficult to obtain. While few people doubt that captive cetaceans are adept at imitation or that they reproduce behaviors taught by researchers, biologists seeking insight into cetaceans' behavior in their natural habitats must rely on deduction rather than experiments. **If members of a particular group share behaviors that do not result from genetic inheritance or environmental variation, then they have almost certainly learned them by watching, following, or listening to other animals.**

这段的第一句提出研究者的观点，认为海豚类海洋动物是有互相学习的能力的。第二句提出质疑，认为这种观点是需要明确的证据的，可是这种证据难以获得。第四句解释了为什么证据难以获得：被关起来的动物是可以观察的，但是野外的动物难以观察，因此很难获得实证性证据。

最后一句，就用到了排除他因的方法。"如果某个集体共有的行为并不是基因遗传或者环境变化的因素，那么他们几乎可以确定，它们的行为是通过观察、模仿、听从其他动物所获得的。"这句话中 if 的部分便是在排除掉"基因遗传和环境变化"这两个也能导致存在共有行为的因素，进而提升了动物之间互相学习的可能性。

除了加强题中的排除他因，逻辑题里的很多做题方法也可以用到 GRE 阅读中去。看似令人厌恶的逻辑题，实则与 GRE 阅读存在着密不可分的联系。

GRE文科和理科文章的区别

很多同学做阅读题的时候都会有这样的感觉：文科生读理工科文章云里雾里，理工男读文学类文章不知所云。那么文科和理科的 GRE 文章究竟差别在哪里呢？请看下面两句话：

文科生："我还是很喜欢你，像风走了八千里，不问归期。"
理科生："就算是微风，风速大概一小时五公里，八千里也就喜欢了两个月左右。"

上面两句文风的区别也就是 GRE 文章中理科和文科在内容上的差异：文科很文艺，而理科喜欢讲理。具体来讲就是文科同义替换多，但是句间关系简单；理科内容单纯直白，但是句间关系复杂。

文科文章为了体现文学修养和庞大的词汇量，同样的内容在文章里可能会给出几十个同义替换。同义替换这么多，听上去很复杂，但是也有一个好处，那就是文科文章的句间关系会比较简单。出题人知道对一个没有相关学术背景的考生来说，凭空理解这些同义替换是不可能的，于是就会在文中大量利用句内、句间、段间关系作为线索，让考生能够找到并理解其中的同义替换。这也是为什么文科文章做起来会有填空题的感觉了。

相比之下，理科文章更多的是原理的平铺直叙，所以彻底搞懂理工科文章，关键在于理清楚文章中每句话的关联，提炼出一个流程性的东西或者原理。当然，理科文章由于重视原理，句间关系会比较复杂。

比如，为了保证例子的客观性，经常要用到让步，于是会出现 But 的封装；如果是实验流程，则会用到大篇幅的广义封装。复杂句间关系的使用在一定程度上抵消了内容上的简单。

下面就以两段文章节选为例，让大家对文理科文章的差异有一个直观的认识。

先看文科文章：

> In early-twentieth-century England, it was fashionable to claim that only a completely new style of writing could address a world undergoing unprecedented transformation—just as one literary critic recently claimed that only the new "aesthetic of exploratory excess" can address a world undergoing well, you know. Yet in early-twentieth century England, T. S. Eliot, a man fascinated by the "presence" of the past, wrote the most innovative poetry of his time. But if our writers and critics indeed respect the novel's rich tradition (as they claim to) , then why do they disdain the urge to tell an exciting story?

本文首句有一个很难理解的地方，就是 well you know。这便是文科文章抽象的地方，但是如果注意到这句话的句内关系，well you know 就很好理解了。方程等号是破折号，前后取同，前面是说 address a world undergoing unprecedented transformation，那么破折号后面也应该是一样的内容，于是 well you know=unprecedented transformation。其实，这里的 well，跟"好"没关系，它只是个语气词。至于 you know，意指前文出现过的内容，即 unprecedented transformation。所以首句 3s 版本是使用新的写作风格。后面两句 3s 版本都是"使用传统写作风格"，其中 presence of the past=reorientation toward tradition。第四句句间取反，主句应该是说"新风格"，同时 distain 相当于负号，于是 exciting story 在这里也可以同义替换"旧的写作风格"。可见，利用句内句间关系，一些抽象到难以理解的单词便可以轻松搞定了。

再看理科文章：

> Oceanographer Douglas Martinson suggests that temperature increases caused by global warming would not significantly affect the stability of the Antarctic environment. True, less sea ice would form in the winter because global warming would cause temperature to rise. However, Martinson argues, the effect of a warmer atmosphere may be offset as follows. Less sea ice would mean a smaller increase in the concentration of salt. Less salty surface waters would be less dense and therefore less likely to sink and stir up deep water. The deep water, with all its stored heat, would rise to the surface at a slower rate. Thus, the surface waters would remain cold enough so that the decrease would not be excessive.

本文首句 3s 版本，南极环境是稳定的。第二句是让步句，因此第二、三句封装，还是在讲南极环境稳定。第四到第七句则是一个流程，因此广义封装，最终还是顺承前文，南极环境是稳定的。由此可见，理工科文章内容很单一，但是句间关系很复杂，短短的一篇文章，But 封装和广义封装全都有了。

总之，文理科文章确实各有难点。但是这些难点都是纸老虎。对不考查背景知识的 GRE 考试来说，文章要读懂，本质上靠的就是语言能力和句内句间关系。知道这一点，问题就可以迎刃而解了。

英语双重否定有没有可能"负负得负"

GRE 是一门考查逻辑思维能力的考试,而使用大量的双重否定,甚至是多重否定,让题目读起来像是复杂的迷宫则是出题时惯常使用的手法。

首先,请尝试回答下面的问题:

1. Journalist Michael Pollan is nothing if not an empiricist.

    Michael Pollan 到底是不是一个实证主义者?

2. Goethe, for example, says Bayley, "cared for nothing but himself.

    Goethe 到底关不关心他自己?

3. Pure logic has never been a motivating force unless it has been subordinated to human desires.

    纯粹逻辑要想具有激励的作用,到底需不需要屈从于人类的欲望?

4. The bicycle affirmed nothing less than the dignity and equality of women.

    自行车有没有确定女性的尊严和平等?

对于上面的句子,单纯采取翻译成中文的方式,当然也能理解。比如,第一句的翻译是"记者 MP 如果不是一个实证主义者就什么也不是",这就是在讲"MP 是一个实证主义者"。

可是谁也不敢保证自己的中文是永远过关的。比如,"我不相信没人不来"。这句话到底在说"有人来"还是"没人来"?那么有没有方法可以更快地处理这种双重否定的句子呢?答案很简单,就是数学中的"负负得正"。只要在一个句子里面出现了一个以上表示否定含义的词,将否定词成对约掉,这个句子就会简单很多:

①一个句子出现了偶数个否定含义的词,那么这个句子的整体态度就应该是正向的。

②如果出现了奇数个否定含义的词,那么这个句子整体态度是负向。

比如上面这句中文例子"我不相信没人不来"。这个句子中有三个否定含义的词,所以至少要知道这个句子整体态度倾向于"没人来"。接着再尝试"约分"——把否定含义的词约掉——来简化句子。这句话里,把"不"和"没"约掉后,句子变成了"我相信有的人不来"。

接下来看看"负负得正"在 GRE 中的使用:

1. Journalist Michael Pollan is <u>nothing</u> if <u>not</u> an empiricist.

> **结论** Journalist Michael Pollan is an empiricist.

2. Goethe, for example, says Bayley, "cared for <u>nothing but</u> himself.

分析 这里的 but 并不能翻译成"但是"，而是一个介词，翻译为"除…之外"，因此也是一个负向含义的词。

结论 Goethe cared for himself.

3. Pure logic has <u>never</u> been a motivating force unless it has been subordinated to human desires.

分析 unless=if not，所以这句话可先改写成：Pure logic has never been a motivating force if it has not been subordinated to human desires.

结论 如果服从于人类的欲望，那么纯粹逻辑就是具有激励作用的。

4. The bicycle affirmed <u>nothing less than</u> the dignity and equality of women.

分析 这句话中 less than 也可以看成负向，起到相似作用的还有 more than, other than 等。

结论 自行车确立了女性的尊严和平等。

总之，在 GRE 的句子中，见到 nothing more than, little more than, nothing but, nothing if not, nothing less than 等表达，利用"负负得正"的思想完全可以忽略掉。

在 GRE 的规范英语中是不可能存在"负负得负"的情况的，但是在一些美剧和英文歌曲中，我们时常会见到"负负得负"的情况。比如滚石乐队的歌曲 *I Can't Get No Satisfaction*，其中文翻译是《我得不到满足》。为什么这里的 can't 就没有和 no 约掉呢？根据 Wikipedia 的解释，当一个句子出现"负负得负"的情况时，谓语动词后面的负态度词是副词词性，用来强调这个句子的否定含义。因此，I can't get no satisfaction 这个句子可以写成：I can't get satisfaction, no. No 可以放在句尾，强调本句话的负态度。

类似的口语表达还有"I didn't go nowhere today."同样，这个句子也能写为：I didn't go today, nowhere. Nowhere 作为副词，强调整个句子。

Part 4

写作

当我和 GRE "分手"，翻开学术论文，习惯性地使用句内句间关系时，我才真正体会到 Get More than GRE 的内涵。

——陈昀
Tulane Medical School，微臣 325/400 题
2017 年 8 月 25 日 GRE 考试
Verbal 163 Quantitative 170

不知不觉就写跑偏了——Direction 的重要性

有时候，在 GRE 写作的 Issue 部分会遇到不少和托福独立写作类似的题目。一般的应对策略是：比托福多写一段。还有一些同学对 GRE 写作的认识非常模糊，认为 GRE 写作的题目比托福的"高大上"。基于这种认识，这些同学会在多写的基础上再求写得深刻。这些思考方式其实都不错，但是，可能依然免不了 3 分的命运。

这是为什么呢？来看一道题：

> Governments should offer a free university education to any student who has been admitted to a university but who cannot afford the tuition.
>
> Write a response in which you discuss your views on the policy and explain your reasoning for the position you take. In developing and supporting your position, you should consider the possible consequences of implementing the policy and explain how these consequences shape your position.

本题的译文是"政府是否需要为每一个被大学录取但无力承担费用的学生提供全额补助？"很明显，这是一道关于政府责任的题目。托福的独立写作中也有很多关于政府责任的题目。如果这道题目是托福题目，我们可能会这样来组织论点：

总立场： 同意题目观点。

分论点 1： 政府需要这么做，因为政府有引导、保证高等教育顺利进行的责任。

分论点 2： 政府有能力这么做，因为政府的号召力和影响力大，财力也比企业和个人雄厚。

上述的观点，也许可以成功构成一篇托福文章的论点，但对 GRE 的 Issue 题目来说还是远远不够的。经过苦思冥想，有心的同学又给出了以下的观点：

总立场： 同意题目观点。

分论点 1： 题中的建议具有一定的必要性（necessity）。政府需要这么做，因为政府有引导、保证高等教育顺利进行的责任。

分论点 2： 题中的建议具有可行性（feasibility）。政府有能力这么做，因为政府的号召力和影响力大，财力也比企业和个人雄厚。

分论点 3： 但是，题目建议的必要性并不高，因为有一些替代策略（alternative options），如为学生提供勤工俭学的机会，让有财力的校友捐钱等等。

所以，不能对题目的观点一概而论，而应全面考虑到该政策的必要性，可行性和其他替代措施。

来总结一下该同学在原论点的基础上做了哪些修改：

① 增加了一个观点，阐明题目中的政策并非解决问题的唯一办法。

② 在三个观点之中都运用到了比较概括抽象的概念（necessity, feasibility, alternative options），使表意更加凝练。

③ 对全文有一个总结，说明了题目的复杂性，不能对其一概而论。

修改之后的论点比原论点更全面、辩证，表意也更凝练，扩展成全文之后字数上也似乎有保障。但是，这样的文章仍然免不了 3 分的命运。为什么可以果断地下结论说这篇文章不超过 3 分呢？因为没有按照 Direction 来写！

Direction 就是附在题干下方的一段写作指导，称作 "task direction"。这道题的 Direction 中最核心的字眼是 "consequence"，即要求考生讨论采取题目中政策可能出现的或好或坏的结果。所以，只要没有从结果层面对题目进行论证，就可以判为偏题。

在《GRE 考试官方指南》里明确说明：3 分文章的典型特征就是对 Direction 照应得模糊或者不充分（It is vague or limited in addressing the specific task directions.）。所以，针对考试要求，应该结合 Direction 列出类似以下的观点：

总立场： 同意题目观点
分论点 1： 题中的建议具有一定的必要性（necessity）。政府需要这么做，因为政府有引导，保证高等教育顺利进行的责任。政府如果不这么做，会引起人才流失，导致社会发展停滞不前。
分论点 2： 题中的建议具有可行性（feasibility）。政府有能力这么做，因为政府的号召力和影响力大，财力也比企业和个人雄厚。因此，由政府出资，可以减轻企业和个人的负担，并且引起广泛的正面的社会反响。
分论点 3： 但是，题目中建议的必要性并不高，因为有一些替代策略（alternative options），如为学生提供半工半读的机会；让有财力的校友捐钱等等。这样的策略可以激励学生奋发向上，同时也可以在一定程度上减轻政府财政压力。

总结：

不能对题目的观点一概而论，而应充分考虑到题目政策所带来的后果。这样修改，使得原本的观点并没有发生很大的变化，但却从"政策的结果"这一层面很好地照应了 Instruction 的要求。也就从文章的立意层面脱离了 3 分的命运。

Issue 里有六大类 Direction，Argument 里有四大类 Direction，如果没注意到 Direction，很可能就写偏题了。对于 Direction 的讲解和具体应对策略，可以参见《GRE 写作高频题目及考点精析》一书。

警惕 Direction 中的动词不定式

GRE 写作考试的 Argument 判分标准很简单，即"有没有根据 Direction 的要求提到 Argument 的诸要素？"如果没有，很可能就偏题了。但是这还不够，面对不同的 Direction，应对的策略是不同的。

比如下面这一个 Evidence 类的 Direction：

Write a response in which you discuss what specific evidence is needed to evaluate the argument and explain how the evidence would weaken or strengthen the argument.

显然，根据这种 Direction 的要求，我们应该把重心放在对原 Argument 的 evidence 的论述之上。但是，还有致命盲区。请关注"to evaluate the argument"这一短语。这一短语的关键词是"to"。动词不定式带有什么样的特殊语气呢？比如：

> With homework done, I can hang out with you.
> With homework to be done, I can't hang out with you.

从这两句话的对比中可以看出，动词不定式会带有"动作未完成"的语义在其中。

再回到题目会发现："to evaluate the argument"暗含的意思是"现在还不能 evaluate the argument"。但很多同学一上来就用诸如"inaccurate argument""wrong conclusion"等表达。这些表达其实都是在"evaluate the argument"，因而也违背了 Direction 的要求。

既然不能"evaluate the argument"，我们该怎么办呢？Direction 同样告诉了大家，只要提供其他"specific evidence"，就能够评价原 Argument 了。所以，针对这种 Direction 的总体行文思路应该是：作者证据不够，所以要提供新证据来评判其推理。也就是说，全文应该有两个动作：一，提供新证据；二，用新证据来评价作者的推理。这种思想反映到开头，可以有如下的表现形式：

> In this argument, the author concludes that…To buttress this conclusion, the author cites the evidence about…; he also resorts to the proof that…; finally, the fact is given showing that… However, the information given in the argument does not suffice to evaluate the soundness of the conclusion. Therefore, we need further evidence to help us assess the argument.

至此，同学们是不是有了新的理解和认知呢？看似简单的 Argument 在加入了 Direction 之后也会如此暗波汹涌。而我们很可能在不知不觉中就已经掉入了陷阱之中。细细数来，Argument 有四大种 Direction，Issue 有六种，对于这些 Direction 的细微之处，大家还要仔细钻研才行。

抽象的 Issue 题目的应对之策

什么样的题目算是比较抽象的 Issue 题目？概括来说，就是题目缺乏一个具体的概念。说得详细一些，这样的题目有以下两个特征：

特征一：**超越一般领域的界限。**

例如下面的题目：

> As we acquire more knowledge, things do not become more comprehensible, but more complex and mysterious.

"things"一词超出了一般的领域，极其抽象。

特征二：针对特定领域，但概念、思维的发散空间大。

例如下面的题目：

Formal education tends to restrain our minds and spirits rather than set them free.

碰到抽象 Issue 题怎么办？按照下面的三步处理即可。

第一步：看清题意，不要跑题。

来看个反例：

As we acquire more knowledge, things do not become more comprehensible, but more complex and mysterious.

（学生写作第一段）Knowledge is changing with the development of technology and society. People can easily find their constant knowledge cannot explain some phenomena. For example, we cannot explain how crop circles appear. So everyone is studying all the time even when he or she is at work already. However, it's common to experience a feeling that is the more knowledge you study, the more complicate you feel. I think, this is usual because more knowledge makes a person think more deeply and comprehensive. Anyway, this will not be reason to give up pursuing knowledge.

点评 先不说这段话的语法错误，只看这一段最后一句就能发现最大的问题所在了，"Anyway, this will not be reason to give up pursuing knowledge" 这句话并不是题目中问的。题目问的是：在有了知识的前提下，结果是事情变得很简单、容易理解，还是事情变得复杂、神秘。最后这句话明显是跑题了。

第二步：理解关键词。

It is more harmful to compromise one's own beliefs than to adhere to them.

最佳关键词：harmful

Competition for high grades seriously limits the quality of learning at all levels of education.

最佳关键词：quality of learning

需要注意的是，关键词的选取是因人而异的，但选取的共同标准是：可以具体化。具体化的方法请参照下一点。

第三步：具体化。

把抽象的概念变成①可以理解，②可以分析，③可以评价的客观事物。要做到这一点，给大家提供一个策略：按一定的规则分类。例如：It is more harmful to compromise one's own beliefs than to adhere to them. 对于这道题，如果挑出了关键词 harmful，则可以按对象分析，对谁来说 harmful？这个"谁"可以包括个人、家庭、企业、社会等等。

下面是一些基本的分类视角：

按时间分析之一：过去 vs. 现在 vs. 将来

按时间分析之二：短期 vs. 长期（vs. 中期）

按对象分析：个人 vs. 家庭 vs. 企业 vs. 社会 vs.……

按经济条件分析：富人 vs. 中产阶级 vs. 穷人

按领域分析之一：政治 vs. 商业 vs. 教育 vs. 学术 vs.……

按领域分析之二：理科 vs. 工科 vs. 商科 vs.……

上面所提到的三个步骤足以让大家应对比较抽象的 GRE 的 Issue 题目，但除此之外，还需要结合 GRE 写作题目的写作要求（Direction）。关于 Direction 的讲解会在其他文章中给出。

如何运用多种思路破解 Issue 题目

破解 Issue 作文题目的方式多种多样，而且各有特色及利弊，但各种破题方式却并不是相互孤立或是对立的，巧妙地把不同的破题方式结合起来往往会产生奇妙的效果。比如下面这道题目，分成 claim（结论）和 reason（理由）两部分。

> Claim: In any field—business, politics, education, government—those in power should step down after five years.
> Reason: The surest path to success for any enterprise is revitalization through new leadership.
> Write a response in which you discuss the extent to which you agree or disagree with the claim and the reason on which that claim is based.

这道题的题目翻译为：

> 结论：在任何领域——商界，政界，教育界和政府单位——当权者都应该五年一换。
> 理由：对于任何事业，通往成功的最明确的道路就是由新的领导阶层所带来的革新。

面对这道题，大家马上就应该想到两种破题思路，一种是"因果类"的破题方式，一种是"分类讨论"的破题方式。

1. 破题方式一：因果破题

破题方式：既讨论题目的结论，又讨论题目的理由。

优点：紧密结合 Direction，不会踏入 3 分雷区。

缺点：思维难度较高，相当于要独立思考两道 Issue 题目。

"因果类"的破题方式，顾名思义，就是既讨论题目的结论，又讨论题目的理由。它的优点显而易见，就是紧密贴合了 Direction，因此避开了 3 分的雷区，但这种破题方式也有一定的弊端，就是思维难度较高，相当于要独立思考两道 Issue 题目。

2. 破题方式二：分类讨论

破题方式：按照不同的领域（field）来讨论题目的观点。

优点：思维难度较低，容易展开文章。

缺点：容易偏离 Direction 要求，忽略题目中结论或者理由任意一方的讨论。

只要看到题目中出现"field（领域）"这个词，就可以采用分类讨论的方式来破题。常见的类别可以有：政治领域、教育领域、科技领域、艺术领域等。这种思维方式的优点是：思维难度较低，容易展开文章。但它对于这道题而言又存在一个短板：容易让我们偏离 Direction 要求，忽略题目中结论或者理由任意一方的讨论。

既然这两种方式各有利弊，不妨把它们结合起来，大家可以参照给出的提纲及其解释：

总论点：在不同的领域，我们对待题目的结论和理由的态度也各不相同

中间段 1：在政治领域，既同意题目中的 reason，也同意题目中的 claim。

中间段 2：在教育领域，既不同意题目中的 reason，也不同意题目中的 claim。

中间段 3：在商业领域，既不同意题目中的 reason，也不同意题目中的 claim。

中间段 1：在政治界，领导者久居其位可能会导致不法行为且这种不法行为会阻碍领导者的成功。因此，领导层定期的更新换代能够促进业界的成功，而这种定期也不妨以五年为期限。从这一层面上看，在讨论政界的情况时，既同意题目中的 reason，也同意题目中的 claim。

中间段 2：而在教育界，既不同意题目中的 reason，也不同意题目中的 claim。因为在教育界，成功的关键不在于领导的更替，而在于领导者的见识和经验，这是对 reason 部分的质疑。另一方面，这样的见识和经验通常又以较长的在职年数为依托。所以，只要领导者具备足够的见识和经验让大学的水平更上一层楼，其在职年限不必拘泥于五年这一特定数字。这是对 claim 的质疑。

中间段 3：最后，在商界成功的关键在于是否有利润，而利润的多少并不取决于领导者的在职期限，而在于其潜力和能力。名不见经传的新手也能在商界声名鹊起，而经验老到的专家也可能马失前蹄。从这一层面上讲，题目中的 reason 和 claim 都站不住脚。

可以看到，这个提纲既照应了 Direction 的要求，同时也降低了文章展开的难度，在各个领域都有话可说，而且每个领域的层次也都比较丰富。但要做到该提纲的前提是：比较熟悉常见的破题方法并能够熟练运用。关于常见的破题思路和方法，可以参照《GRE 写作高频题目及考点精析》。

Argument 中的常见错误——时间类比

先看下面的题目：

> ...Homes listed with Adams sell faster as well: ten years ago I listed my home with Fitch, and it took more than four months to sell; last year, when I sold another home, I listed it with Adams, and it took only one month...

本题节选自一道经典的 Argument 题目，说的是在十年前，Fitch 公司用了四个多月才帮作者把房子销售出去；而去年，Adams 只花了一个月就成功销售出她的另一套房屋。据此，作者得出结论：Adams 公司销售房屋的速度比 Fitch 公司快。

很多同学，特别是有过自己备考经验的同学，几乎可以立刻判断出这段话中存在一个把不同时间的对象进行比较的错误，有人称这类错误为"纵向的错误类比"，"纵向"指的就是时间上的。而针对这种错误，也有很多模板式的攻击语句，比如：The author's conclusion suffers from a false analogy between Fitch's efficiency, which was ten years ago, and that of current Adams. "作者将 Fitch 公司十年前的效率和 Adams 公司现在的效率进行了错误类比。"

这种思考方式当然是可以的，模板句子的语言本身也没有问题。但是，如果按照这种方式来对 Argument 进行分析，很可能就高不过 3 分了。原因就在于改革后的 GRE 考试在每一篇 Argument 后面加入了 Direction（具体性指令）这种写作要求。GRE 考试的 Argument 中一共有四种 Direction（见后文）。所以，虽然一些经典错误在 Argument 中依然存在，但对这些错误的分析方式却完全变了，要针对每一种不同的 Direction 给出一种特定的分析。

按照 Direction 的要求对"时间对比"类的错误进行评析要做到以下几点：

首先，面对 Evidence 类的 Direction，要从"证据"的角度进行评析。可以参考的例子已经给出来了：we need further evidence to clarify whether anything has changed during the ten-year period. （我们需要更多证据来确认这十年间是否有任何变化。）这是针对这种 Instruction 最核心的一句话，之后还要详细地说明我们需要什么样的证据，以及如果新证据表明发生了变化，那么作者的结论就会被削弱；反之，则被增强。

而面对 Assumption 类的 Direction，需要从"假设"的角度切入。可以说：What underlies the author's conclusion is an unsupported assumption that nothing has changed during the ten-year period. （作者的结论被一个缺少支持的假设所支持，这个假设认为十年间没有发生任何变化。）这句话是照应这种 Direction 的灵魂句子，之后还要继续说明一旦这种假设被推翻，作者的结论就会被削弱。

最后，面对 Question 类的 Direction，需要"问问题"。比如，Has anything changed during the ten-year period so that the efficiency of Adams and Fitch is rendered incomparable? （在这十年间，是否发生了任何变化，导致两个公司的效率不可比呢？）这是一个典型的问句，在这之后还需要回答这个问题，并且用问题的答案来正反评价 Argument 中的结论。

以上就是针对三种 Direction 的不同要求，对"时间对比"类的错误进行的不同侧面的分析。细心的同学可能会发现，还有一种 Direction 没有提到，就是 Explanation 类的 Direction。其实，在 177 道 Argument 题目当中，只有 11 道 Explanation 类的题目，而这 11 道题目中都不存在"时间对比"这一类错误，所以没有提到。下面通过例子具体看一下四种 Direction：

1. "Evidence 类" Direction

Write a response in which you discuss what specific evidence is needed to evaluate the argument and explain how the evidence would weaken or strengthen the argument.

🔖 **翻译** 写一篇文章，在这篇文章中，讨论一下需要哪些具体的证据来评价这个 Argument，解释这些证据将如何加强或削弱这个 Argument。

2. "Assumption 类" Direction

Write a response in which you examine the stated and/or unstated assumptions of the argument. Be sure to explain how the argument depends on these assumptions and what the implications are for the argument if the assumptions prove unwarranted.

🔖 **翻译** 写一篇文章，在这篇文章中，考察该文章提到的或者没有提到的前提条件。解释这些前提条件是如何支持题目的，并说明如果这些前提条件没有被证实会产生什么结果。

3. "Question 类" Direction

Write a response in which you discuss what questions would need to be answered in order to decide whether the recommendation is likely to have the predicted result. Be sure to explain how the answers to these questions would help to evaluate the recommendation.

🔖 **翻译** 写一篇文章，在这篇文章中，讨论需要问什么问题来判断题目中的建议是否会取得预想的结果。解释这些问题的答案会如何帮助你评价题目中的建议。

4. "Explanation 类" Direction

Write a response in which you discuss one or more alternative explanations that could rival the proposed explanation and explain how your explanation(s) can plausibly account for the facts presented in the argument.

🔖 **翻译** 写一篇文章，在这篇文章中，讨论一个或者更多的解释，这个解释也同样能合理地说明文章中的事实。

破解 Argument 最难题

Argument 题库中有一道关于猴子的题目，可以被称之为是最难的 Argument 题目。本篇将会带着大家分析这道最难题目，戳破这个纸老虎。请先看题目：

> …Homes listed with Adams sell faster as well: ten years ago I listed my home with Fitch, and it took more than four months to sell; last year, when I sold another home, I listed it with Adams, and it took only one month…

先来梳理一下题目，这道题目列举了三个现象，即：

① 头胎小猴在受刺激时（如遇到一只不熟悉的猴子），分泌出的皮质醇是它的弟弟妹妹的两倍（在这里，作者交代了一个信息：皮质醇能够让猴子的身体更加适应这种刺激）。

② 头胎的人类小孩在受刺激时（例如外出的父母回到家中），也会分泌出相对较多的皮质醇（也就是头胎的小孩比弟弟妹妹的反应更激烈）。

③ 第一次生育的母猴的皮质醇水平要比生过几次孩子后的母猴高很多。针对这三个现象，作者给出了统一的解释：出生顺序对于个体刺激水平会产生影响。

这道题的难点在于一个专业术语的引入：hormone cortisol（皮质醇）。因为这个专业术语的引入，不少同学就开始晕头转向，甚至抱怨说："说好的 GRE 不考专业知识的呢？！"其实，皮质醇在这道题中只是一个桥梁概念，作者只是想告诉大家：皮质醇越高，生物体面对刺激环境的反应也就越大。而这道题目最终需要解决的是出生顺序和个体刺激水平之间的关系，皮质醇只是在其中穿针引线。

抛开"皮质醇"这个的概念，这道题就会变得比较明朗了。但是，仍然有同学会给出偏离题目要求的答案，比如，下面就是一个偏离题目要求的提纲：

① 实验的样本不足，18 只恒河猴说明不了问题。

② 人和猴子不可比，作者踏进了错误类比的误区。

③ 母猴子的例子和实验不相干，作者主观臆造了因果联系。

这样的提纲之所以偏离了题目要求，是因为它完全按照老 GRE 考试的破题方式，即 "找经典逻辑错误"，而完全没有按照 Direction（即题目下方的说明性文字）的要求来写。我们一直强调：在现在的 GRE 考试中，如果不按照 Direction 的要求写，最终的分数不会高过 3 分。

这道题的 Direction 就是 "Explanation 类"Direction，要求讨论可以匹敌 Argument 的作者给出的解释的其他解释。因此，这道题需要讨论的是：除了出生顺序，还有什么因素可以导致题目中的现象？这样一想，思路就豁然开朗了。下面是一个供大家参考的提纲：

① 对于现象一，头胎的猴子之所以在遇到陌生的猴子时会分泌更多的皮质醇，也因此反应更加激烈，可能是因为它具备足够多的经验能够认识到陌生猴子所带来的潜在威胁，而它的弟弟妹妹却不行，所以弟弟妹妹面对刺激环境时的反应不如头胎猴子大。

②对于现象二，头胎的孩子之所以在父母归来的时候有比弟弟妹妹更大的反应，可能是因为弟弟妹妹的出生和存在分掉了父母的关爱，所以头胎的孩子对于父母更依赖，因而头胎孩子对于父母的归来比弟弟妹妹反应更大。

③对于现象三，第一次生育的母猴之所以会分泌出更多的皮质醇，也就是反应会更大，可能是第一次生育的母猴有紧张、害怕、兴奋等情绪，所以比生育多次的母猴的感情波动要大，反应也更加激烈。

可以看到，提纲针对每一个现象都给出了一个全新的解释，这个解释都是能够匹敌作者给出的解释的。作者认为，一个个体面对刺激情况时的反应和出生顺序有关，但我们认为，这种反应也可能和个体的生活经验、情绪等情况有关。而大家也可以有其他的解释，这些解释没有优劣之分，只要能够解释清楚 Argument 中所提到的现象，就可以算是合格的解释。

要用 GRE 词汇写 GRE 作文吗

"要用 GRE 词汇写 GRE 作文吗？"这是两类同学经常问到这样的问题。一类是还没有开始 GRE 备考的同学，他们对 GRE 作文考试没有太多的了解；一类是对 GRE 词汇已经比较熟悉的同学，他们有想要使用 GRE 词汇的欲望，也有一定的能力运用 GRE 词汇。那么，到底要不要用 GRE 词汇写 GRE 作文呢？

简单说来：GRE 写作不排斥 GRE 词汇，但不推荐大家在现阶段过度使用 GRE 词汇。

首先，不论是在 GRE 作文的题目中，还是在官方范文中，都可以看到 GRE 词汇的身影，比如下面例 1 的 Issue 题目就用到了一个 GRE 词汇 lucrative，它的意思是"有利可图的，赚钱的"，与 profitable 也经常作为 verbal 填空六选二的选项一起出现。再如，例 2 是一篇官方范文中的句子，句中也使用到了 GRE 级别的词语 quandary，表示"困境"。

1. Educational institutions should actively encourage their students to choose fields of study that will prepare them for lucrative careers.

2. The assumption is that an increased reliance on technology negates the need for people to think creatively to solve previous quandaries.

从以上两个例子可以看出，GRE 作文是不排斥 GRE 词汇的使用的。而且因为这种词语的使用，句子显得更加凝练和正式。我们完全可以把 lucrative 改写成 bring sb much money，把 quandary 替换为 difficult situation，但这样一来句子的表意显然不如之前简洁。因此，GRE 词汇的使用可以在一定程度上帮助我们更加简练、准确地表达意思。

但是，纵观 GRE 写作的题目和官方范文，GRE 级别的词语绝不占多数，甚至可以说屈指可数。绝大部分词汇应该是高中和四六级词汇，以及一小部分托福的词汇。

尽管如此，当同学们备考 GRE 考试的 verbal 部分时，随着对 GRE 词汇的熟练度越来越高，总会倾向于用一些 GRE 词汇。如果能表意准确，这种做法自然无可非议，但我们依然建议在现阶段尽量少用，甚至不用 GRE 词汇。原因有三：

① GRE 词语的表意很窄，因此很容易用错。因为大家在背 GRE 词汇时用的是意群记忆法，对每个单词记得也是大概的意思，这就让犯错的几率上升了。

② GRE 词汇非常正式，常用于正规的书面英语中，如果不能保证自己文章的用语全都比较正式，那么 GRE 词汇在一些比较口语、随意的表达中的穿插出现会显得很突兀，造成文字风格的不协调。

③ GRE 词语往往较长，拼写也比较复杂，考生在高压的考试环境中不容易拼写正确，从而造成失分，这样得不偿失。

---

3. Students should be forced by their school to abstain from using computers.

这个句子就错误地使用了 abstain 这个词。abstain from doing sth. 指的是出于自愿地不去做某事，而句子中学生明显不是出于自己的意愿而不用电脑，而是被学校所迫而不能使用电脑。大家虽然熟悉 abstain 这个词，但很难准确把握它的用法。

---

4. Sometimes people do meet ambiguous things and these things drive them nuts.

5. Sometimes people do confront ambiguous affairs and are therefore perplexed by them.

例句 4 中 ambiguous 一词是 GRE 级别的，属于非常正式的书面英语词汇。这就和句子中的 meet, things, drive sb. nuts 等比较随意的口语表达显得格格不入。为了适应 GRE 写作考试这种书面英语测试，不妨统一语言风格，将其改成例句 5 的句子，这样就显得比较正式了。

其实，如果问一个英语母语者在写论文或者考 GRE 写作时是否会用 GRE 词语，他一定是一头雾水的，并且会反问：“GRE 词语是什么词语？”是的，GRE 词语只是一种中国同学认为比较方便的代称，它指代了一系列表意凝练、专业、准确、正式的词语。在以后的学术写作中，大家也一定可以并且是需要用到 GRE 词语的。只不过对于现阶段 GRE 作文的备考而言不需要触碰，甚至也不应该轻易触碰 GRE 词语。

从 There be 句型看你的作文是否地道

There be 句型是大家从初中阶段就开始接触到的句型，也是在实际写作和口语会话中使用频率很高的句型。虽然认识这个句型很久了，但似乎却并不熟知它的用法，以至于很多同学将一些 There be 句型的误用和多用带到了 GRE 作文中。例如，想要表达“有两个例证支持我的观点”这一意思时，同学们可能会有以下几种表达：

---

1. My claim has two supporting examples.

2. There are two examples support my claim.

3. There are two examples that support my claim.

4. There are two examples supporting my claim.

5. Two examples support my claim.

---

1 和 2 是明显的错误表达；3 和 4 的表达稍显累赘。最简洁明了的表达应该是第 5 句。下面来分别解析一下这几种表达形式。

1. My claim has two supporting examples.（错误；There be 和 have 混用）

这是属于错误地混用 There be 和 have。因为 There be 以及 have 的中文释义中的"有"和汉语中的"有"存在意义上的重合，许多同学会误用二者。事实上，There be 和 have 在表示"有"这一概念时，通常分别对应了汉语中的"存在"和"所属"这两种含义，而"有两个例证支持我的观点"这一句话中的"有"是"存在"，而非"所属"的含义（在表达"所属"含义时，"所属者"往往是具有生命力的，比如人）。所以，这句话应该用 There be 而非 have。其实，There be 和 have 只有在表达"某物体在结构上装有、具有"时会通用。如"这个房间有两扇窗户"，我们既可以说"There are two windows in that room"，又可以说"That room has two windows"。

2. There are two examples support my claim.（错误；出现两个谓语动词）

会使用句子 2 这种表达的同学已经意识到了需要用 There be 来表达"有"的含义。但由于语法基础不扎实或是粗心大意，忘记将 support 变成 supporting。There be 加上 someone/something，再加上某个动词时，动词需要根据意义上的变化做出形态上的各种对应调整，变成"doing""to do""done"或者"to be done"等，否则一句话中会出现两个谓语动词。在 GRE 考试中，这样的错误无疑会被考官（无论是真人还是电子评分器）识别出来，并且会被判为低级语法错误。虽然 GRE 作文的 6 分满分的评分标准中提到可以犯一些错误（minor errors），但这种比较基础的语法错误还是应该避免的。

3. There are two examples that support my claim.（表达啰唆）
4. There are two examples supporting my claim.（表达啰唆）

句子 3 和 4 的表达在语义和语法上都没有错误，但在表达上显得十分啰唆。句子 3 的表达其实反映了很多学生倾向于用从句的这一现象。但往往这种滥用或误用从句的习惯会导致语义的累赘，甚至语义不清。相对于句子 3，句子 4 的表达舍弃了 that 引导的定语从句，从而显得简洁一些。然而，句子 4 仍然不是最简表达。要表达相同的意思，完全可以用更为简洁的一句"Two examples support my claim"。同理，在 Argument 中要表达"还有一些问题需要考虑"时，与其用"There are some other questions to be taken into consideration"，不如用更为简洁明了的"We need to consider more questions"，这样的表达才是最地道的学术英文表达。中文母语者在很多语句中都会习惯性地加入"有"这一词，但所对应的英文直译会显得冗余累赘。虽然不算错，但却不是最佳选择。

以上就是关于 There be 句型的讲解。如果要了解更多在 GRE 写作中常犯的语法错误，请参见《GRE 写作高频题目及考点精析》中的"考生常犯错误"一章。

GRE 写作中常见的语言错误（一）

如何写好 GRE 作文是一大难题，而如何避免低级错误是另一大难题。前者的攻克似乎需要日积月累的积蓄，但后者的达成却有一些速成的窍门。其中的一个窍门就是参照前车之鉴。本篇遴选了一些 GRE 作文中常见的错误，希望大家把这些常见错误与自己的文章对照，有则改之，无则加勉。

1. 常见错误一：句子连接

① Imagination is significant, we should make good use of it.

② Imagination is significant, therefore we should make good use of it.

错误原因：

① 逗号不能连接具有完整主谓宾的两个句子。

② 有同学认为此时加上一个表示因果关系的词 therefore 就可以连接两个句子了，但是 therefore 是副词，同样不能连接两个完整句子（与 therefore 类似，thereby, hence, thus, consequently 等都是副词，都不能连接两个完整句子）。

入门级改法：

改法 1: Imagination is significant; we should make good use of it.

改法 2: Imagination is significant. We should make good use of it.

（分号和句号前后可以连接两个完整的句子。但原句想要表达的因果关系并没有被凸显，因此不如下面两种改法）

进阶级改法：

改法 3: Imagination is significant, so we should make good use of it.

改法 4: Since/Because imagination is significant, we should make good use of it.

（so, since, because 都是连词，都可以连接两个完整的句子，而且也凸显了原文的因果关系，比较妥帖）

2. 常见错误二：代词使用

Great leaders should be tough. That is to say, he can stick to his own principles.

错误原因：前一句的 leaders 是复数形式，而后一句却用第三人称单数形式的 he 和 his 对其进行指代，前后单复数不统一。

改正后：Great leaders should be tough. That is to say, they can stick to their own principles.

Novelists create a considerable number of brilliant novels. They contribute greatly to the society.

错误原因：前一句出现了 novelists 和 novels 两个复数形式的单词，因而我们不清楚后一句中的 they 到底指代哪一个单词。

改正后：Novelists create a considerable number of brilliant novels. Those novelists/Their novels/Those novels contribute greatly to the society.

It is unacceptable.

错误原因：代词无所指代。只要用到了代词，一般情况下应该可以根据代词的指代回归到上文或下文中的某个词或某个概念。而考生在写作文的时候常常使用在上下文中找不到指代的代词。（这位同学的这句话中的 it 确实在其上下文中都找不到指代，这里因为篇幅所限，无法详尽展示其上下文）

改正方法：取消代词 it 的使用；或者在上下文中明确 it 的指代对象。

3. 常见错误三：名词单复数

We need several evidences to demonstrate the validity of this argument.

错误原因：这句话在 argument 中经常用到。但 evidence 指"证据"时，是不可数名词。要表示"一条证据"，用 a piece of evidence；要表示很多证据，可以用 abundant, plentiful, ample 等词，也可以用 a body of, a mass of 等短语。

改正后：We need several evidence to demonstrate the validity of this argument.

Book enlightens us.

错误原因：本句的意思是"书本启迪我们"，这里的 book 应该是泛指意义上的书。所以要用表示泛指意义的"books"或"a book"。

改正后：Books enlighten us. / A book enlightens us.

上述问题虽然看似简单，但在 30 分钟这样的高压力时间限制内难免会在不经意间就犯错。GRE 作文在评分时虽然有一定容错率，但如上文一样的小错误还是应该能避免则避免的。

GRE 写作中常见的语言错误（二）

本篇紧接上一篇，继续来看大家在 GRE 写作中常见的语言错误。

1. 常见错误四：冠词误用

The disagreement promotes innovation.

错误原因：本句的意思是"分歧促进创新"，这里的"分歧（disagreement）"应该表泛指，所以不需要定冠词 the。

改正后：Disagreement promotes innovation.

Disagreement of these two artists' opinions on this artwork encouraged them to delve into more thorough research.

错误原因：本句的意思是"这两个艺术家关于这幅艺术品的看法的分歧激励他们进行更全面的研究"，这里的"分歧（disagreement）"应该是特指这两个人对某个艺术品的看法的分歧，所以需要用定冠词 the。

改正后：The disagreement of these two artists' opinions on this artwork encouraged them to delve into more thorough research.

2. 常见错误五：从句误用（1）

This is apparently the best solution which can change the situation.

错误原因：定语从句修饰的先行词 solution 被形容词最高级 the best 修饰，所以定语从句应该用 that 引导而非 which。

改正后：This is apparently the best solution that can change the situation.

This argument is unconvincing due to several questionable assumptions lack support.

错误原因：本句的意思是"几个缺少支持的有问题的假设让这篇 argument 不可信"。当先行词在定语从句中充当主语时，定语从句的引导词不能省略。

改法 1：This argument is unconvincing due to several questionable assumptions that/which lack support.（补全定语从句的引导词）

改法 2：This argument is unconvincing due to several questionable assumptions lacking support.（将 lack 变为非谓语动词作后置定语修饰 assumption）

Educators should prevent students from choosing fields which are unlikely to succeed.

错误原因：which 引导的定语从句修饰先行词 field，翻译成中文是"不太可能成功的领域"，我们虽然能够明白意思，但放在英文中却说不通。因为 succeed 这个动作的发出者应该是人 people 而不是领域 field。

改正后：Educators should prevent students from choosing fields in which students are unlikely to succeed.

注意：有同学把 students 换成 they，这就犯了"指代不明"的错误，因为句子中有 educators 和 students 两个复数概念。

The author claims this recommendation will work well and this company will make more money.

错误原因：在正规书面语中，宾语从句的 that 一般不省略。而且此句中 claim 后面有两个宾语从句，同学们经常忘记第二个宾语从句的引导词 that。

改正后：The author claims that this recommendation will work well and that this company will make more money.

The reason why leaders should listen to the public is because leaders are selected by the public.

错误原因："the reason... is because..." 搭配错误。当 reason 作主语时表语从句的引导词是 that 而不是 because。

改正后：The reason why leaders should listen to the public is that leaders are selected by the public.

No matter who has the courage to break the old rules is likely to succeed.

错误原因：no matter who 只能引导让步状语从句。而 whoever 既可以引导让步状语从句也可以引导名词性从句（whatever/however/wherever 等同理）来作为句子的主语、表语或宾语。这句话中，has the courage 前缺少主语，因此我们需要主语从句的引导词 whoever。

改正后：Whoever has the courage to break the old rules is likely to succeed.

本篇重点谈到了冠词和从句的误用，尤其从句部分的错误是大家常常踏进的雷区，希望大家吸取教训，尽量在今后的写作中少犯类似的错误。

GRE 写作中常见的语言错误（三）

本篇继续总结 GRE 写作中从句方面和语态的错误。

1. 常见错误六：从句误用（2）

We should always doubt that whether the authority is right.

错误原因：doubt 后可以跟宾语从句，但宾语从句的引导词只需要一个。这句话需要表示疑问语气的引导词，所以该句子中 that 是多余的。

改正后：We should always doubt whether the authority is right.

Despite the author provides several evidence, this argument is questionable.

错误原因：despite 后面只能跟名词性成分而不能跟句子。与之类似的还有 in spite of。

改法 1：Although the author provides several evidence, this argument is questionable.（although 是连词，后面可以跟完整句子充当让步状语从句。）

改法 2：Despite the evidence the author provides, this argument is questionable.（将原句中 despite 之后的句子改成名词性成分。）

Plausible as appears this argument, it is unconvincing.

错误原因：as 作"虽然"时可以引导倒装的让步状语从句，但同学们往往搞不清楚句子中主谓宾的顺序。正确的顺序应该是：*adj./adv./* 分词 /*n.*（要省略冠词）+as+ 主语 + 谓语动词。

改正后：Plausible as this argument appears, it is unconvincing.

The government should give financial support to big cities where are the major places for culture development.

错误原因：定语从句修饰的先行词 cities 在定语从句中作主语，因此定语从句的引导词应该用关系代词 that 或者 which。（而如果先行词在定语从句中作状语，则应该用关系副词 where，when 等引导定语从句，如改法 2 的句子）。

改法 1：The government should give financial support to big cities that are the major places for culture development.

改法 2：The government should give financial support to big cities where culture develops/flourishes.

It is in big cities where artists can do whatever they want.

错误原因：这句话的错误比较难以发现。很多同学认为 where 引导定语从句修饰 big cities，但如果按照这种思路，我们会发现 big cities 前面的 It is in 的意思无从解释。其实，这句话是混淆了定语从句和 It 引导的强调句型。作者真正想表达的意思是"艺术家是在大城市才能够为所欲为"，强调"大城市"。

改正后：It is in big cities that artists can do whatever they want.

One may ask: is this quality that an effective leader should have?

错误原因：这句话的错误比较难找出来。很多同学都认为 that 引导的定语从句修饰先行词 quality，但如果按照这种思路把原句换成陈述句的语序，错误就显而易见了：this quality that an effective leader should have is。可以发现，is 后面缺少表语，句子不完整。因此需要添加表语使得句子完整。

改正后：One may ask: is this quality the one that an effective leader should have?

2. 常犯错误七：混淆主动被动

Comparing to the first opinion, the second one makes more sense.

错误原因：非谓语动词 compare 的逻辑主语应该和主句主语 the second one（opinion）一致。而 opinion 只能是"被比较"而不能主动发出"比较"这个动作。

改正后：Compared to the first opinion, the second one makes more sense.

The "field" in this issue is consisted of three parts: science, literature and art.

错误原因：consist of 意为"由…组成"，英文释义为"to be formed from/by"，已然含有被动语义。通常以"A consist of B"这样的主动形式表示"A 由 B 组成"。（要表示 B 组成 A，可以用 B constitute/make up A。）

改正后：The "field" in this issue consists of three parts: science, literature and art.

到此为止，我们用三篇内容总结 GRE 写作中可能会犯的语法错误。在 GRE 写作中要得高分，除了避免错误表达，还需要积累正确的表达。可参考《GRE 写作高频题目及考点精析》一书的 40 篇高频题目范文，通过精读这些文章，积累大量的语言和内容素材。

躲开低分，这三类错误绝不能犯

总会有同学在考前问这样一些问题："老师，明天就要考试了，我怎么样才能不考 3 分以下？""老师，明天考试，有没有什么秘诀？""老师，你知道考什么题吗？"

这篇文章虽然不能告诉大家如何取得 4 分以上的高分，但是在考试之前看完它，至少可以摆脱 3 分以下或者需要重考的悲惨命运。

1. 错误一：无视 10 种写作要求

Every individual in a society has a responsibility to obey just laws and to disobey and resist unjust laws.

Write a response in which you discuss the extent to which you agree or disagree with the claim. In developing and supporting your position, be sure to address the most compelling reasons and/or examples that could be used to challenge your position.

如这道题所示，题目下方会有几行说明性的文字，这些文字就是题目的写作要求，英文称作 Direction。在 Issue 中一共有六种 Direction，Argument 中一共有四种 Direction，每一种 Direction 都要求考生在文章中做出不同的回应。

比如这道题就需要提到那些可能被用来反对你的观点的观点，即"敌方观点"。出题方明确表示：**不论考生的观点如何精妙，语言如何高级，只要不按照 Direction 来写，总得分数不会超过 3 分。**但由于大家照应 Direction 的意识都不强，这就导致最终得分不理想。所以，要避开低分雷区，首先要注意对 Direction 写作要求的照应。

2. 错误二：漂亮模板 + 低级错误

In this issue task, the writer has oversimplified the word "just" by keeping blind to its various connotations. However, the definition of "just" may vary along with different circumstances and is therefore open to diverse interpretations.

Firstly, "just" may mean different to different persons and so we should consider different group of persons.

"在这道 Issue 题目中，作者过度简化了 just 这个词的含义，而没有关注到它诸多的内涵。然而，在不同的情境下，just 一词的定义可能也会随之变化从而可以适应不同的解释方式。"这两句话应该算是比较漂亮的模板语言，虽然套路性很明显，但是比一般的模板要好得多。在很多作文中，大家所用的模板几乎一致：随着社会经济的发展，有一个问题引起了我们的关注……虽然一些人认为……但我认为……我的理由如下……

先不要着急背模板，接着看第二段。第二段只有短短一句，但已经是错误连篇：首先，mean 后面的 different 应该是副词 differently；其次，person 的一般复数形式是 people，persons 这样的复数形式虽然也存在，但多用于法律条文中表示"社会人"这个概念；另外，and 和 so 两个连词连用，冗赘多余；最后，既然是 different group，那么可数名词 group 就必须加上 -s 变成复数。除此之外，模板中为了表示"不同"这个概念，用了 diverse 和 various 等词，但这句话中连用三个 different 词汇多样性明显欠缺。

通过对比可以看到，在这样错误百出的句子的对照下，本来漂亮的模板语言不会显得亮眼，反而会显得扎眼。所以我们建议大家，模板是一定可以用的，但起码要保证两点：**第一，模板语言和非模板语言在语言水平上要基本一致，不会给人一种模板是背的这样一种感觉；第二，再好的模板都是别人的，自己要用的话请一定改写一下，不要原样照抄。**

另外，语言模板当然好用，但思维模板往往会更加高效，关于思维模板的重要性，在另一篇文章《关于 GRE 写作的常见 8 大问题》中也有提及。

3. 错误三：有效字数太少

虽然字数和分数并没有直接的关系，但要说清楚一个观点，往往需要那么多字。一个参考的**理想字数的下线是 450 字**。但是很多同学在考场上能够打出的字数也就 300 字左右，原因可能是因为打字速度不快，也可能是因为对题目不熟悉，不知道可以写哪些观点，也有可能是不知道如何把单个的观点拓展成一段话。然而，这些问题其实都是可以在短期内突破的：打字速度不快，这可以在一周内进行突破；对题目不熟悉，那就提前看题目，就算没有时间看全部的题目，也可以重点看高频题目；如果不知道如何把一个观点拓展成一段话，那是因为还不具备相关的思维模板，而一旦具备，字数由少变多是自然的事。

另外还需注意的是，并不是字数越多分数越高，应该保证的是传递有效信息的字数。如果传递的都是重复或者不相关的信息，那么即便字数再多也无济于事。

以上的问题虽然严重，但都只是盲区，一旦避免，想得高分也不是难事。

这样练作文，提高 3 倍效率

要让大家动手写一篇 GRE 作文是一件千难万难的事情，而如果好不容易用两个小时写好了一篇文章而不知道如何利用它，这又是一件特别不值的事情。下面就教给大家几个特别好用的方法，让大家快速提升练作文的效率。

1. 方法一：挑对题目

GRE 写作的 Issue 题目一共有 152 道，Argument 一共有 177 道。在这样庞大的题库中挑选哪些题可以提高效率呢？

原则一：经典题目
这一类题目本身在题库中复现率高，经常以不同的变体出现，而不同的变体实则大同小异。挑选这一类题目往往能够达到攻克一道题就攻克了好几道题目的效果。

例如，如果挑选这道讨论"专业兴趣重要还是专业前景重要的"的 Issue 题目：

College students should base their choice of a field of study on the availability of jobs in that field.

会发现 Issue 题库中有 9 道这个题目的变体，且这 9 道题目都是大同小异，如：

College students should be encouraged to pursue subjects that interest them rather than the courses that seem most likely to lead to jobs.

再如：

Some people believe that college students should consider only their own talents and interests when choosing a field of study. Others believe that college students should base their choice of a field of study on the availability of jobs in that field.

原则二：挑选本月的高频题目

每个月的高频题目都会发生变化，大家可以关注本月的作文考前点拨班以及批改项目中的题目。

2. 方法二：形成套路

GRE 的 Issue 和 Argument 题目都是套路深重，即便是题干内容完全不同的题目，也可以有相似甚至完全相同的写作套路，如果能够掌握这种套路，就能够获得攻克一道题就攻克了十几道甚至几十道题目的效果。

如：在 Argument 题目当中，每一道题目是由"题干＋具体性指令"组成的，如：

The following appeared in a memorandum from the manager of WWAC radio station.

"WWAC must change from its current rock-music format because the number of listeners has been declining, even though the population in our listening area has been growing. The population growth has resulted mainly from people moving to our area after their retirement, and we must make listeners of these new residents. But they seem to have limited interest in music: several local stores selling recorded music have recently closed. Therefore, just changing to another kind of music is not going to increase our audience. Instead, we should adopt a news-and-talk format, a form of radio that is increasingly popular in our area."

Write a response in which you discuss what questions would need to be answered in order to decide whether the recommendation and the argument on which it is based are reasonable. Be sure to explain how the answers to these questions would help to evaluate the recommendation.

下面部分的文字就是具体性指令，它决定了写作的"套路"。面对这种具体性指令，我们的套路是：① 提出问题；② 给出问题答案；③ 用答案正 / 反评价作者结论。

这种具体性指令对应的题目数量是 64 道，也就是说，面对这 64 道题目，我们都可以用相同的套路应对。

除了这种具体性指令，GRE 写作当中还有其他 9 种具体性指令，它们也都有各自的套路，希望大家注意。

3. 方法三：获得反馈

大家练习一篇文章很不容易，而如果不立即对这篇文章做出反思，那么这种练习很可能是无效的，甚至可能起到"巩固错误"的反效果。所以，对自己的文章及时进行反思，并且请他人对文章给出指点是很有必要的。

例如，有的学生在练习时会写这样一句话：As far as I am concerned, I argue students should chose majors that they are interested in.

这句话有三个错误：（1）should 后应该加动词原形，所以 chose 应该改为 choose；（2）在正式英语中宾语从句的引导词 that 不能省略，所以 argue 后面应该加上 that；（3）As far as I am concerned 的意思是"我认为"，I argue 的意思也是"我认为"，犯了冗余的错误，应该去掉一个。与此相似的错误搭配还包括"From my perspective, I believe..." "In my opinion, I claim that..." "Personally speaking, I maintain that..."等。

其中，错误一是自行检查就能发现的；很多同学可能不会注意错误二，而被人稍加提醒之后也会注意到；而对于错误三，不少同学可能都不认为是错误。对这样的错误，不仅要知道错误所在，还要知道错误的原因，最后能够举一反三，不犯类似的错误。

如何取得 AW 写作高分

GRE 作文虽然是对考生逻辑能力的测验，但考生的语言水平往往制约了思想的表达，成为取得高分的障碍。这篇文章就来讲一下怎样在表意准确的情况下增加语言的多样性，让文章读起来更加赏心悦目。

先来看一个反面例子：

"Society should make efforts to save endangered species only if the potential extinction of those species is the result of human activities. Write a response in which you discuss your views on the policy and explain your reasoning for the position you take. In developing and supporting your position, you should consider the possible consequences of implementing the policy and explain how these consequences shape your position."

Finally, if we want to understand whether human activities caused the potential extinction, then we need to invest a large amount of money and time in the process, because this is not a simple task. When we realize the true cause it could be too late to save them. Nature is complex, and this means that human activities can cause extinction indirectly. For example the cause of the extinction of large predators such as American Cheetah at the beginning of Holocene 12 thousand years ago in North America is believed to be man-made. However, human beings did not hunt down large mammals directly (because they can't), but instead captured and killed their prey. This caused large mammals to die of starvation. This example illustrates that the cause of the potential extinction seems at first glance, but in fact is not simple. If we only save endangered species after the cause is clear, then by the time we confirm human activities are the cause, the animal might have already become extinct.

尽管有一些指代上的瑕疵，但从论证逻辑的角度来看这段文字是很不错的。"因为自然很复杂，所以要搞清楚灭绝的原因需要时间，当我们确认原因时物种可能已经死亡了。"中间还举出了北美大陆古生物灭绝事件进行例证，说理比较到位。但是全文几乎千篇一律是"主谓宾"结构，未免有些枯燥乏味。

让文章可读性更强，除了同义词替换外，还有下面三种增加语言多样性的简单方法：

1. 主谓关系调整

顾名思义，就是将原本的"主谓宾"结构进行变换。最简单的方式就是主动语态和被动语态的变换以及倒装句；there be 也是一种常用的手法；还有一种改变句子重点的方法是用 it is 强调句，这比一般的主谓宾结构更能突出想要强调的对象。例如：

I sincerely hope that humankind could unite in the face of the threats posed by climate change. It is my sincerest hope that humankind could unite in the face of the threats posed by climate change.

2. 名词化

有时候一个动词概念需要重复出现，这时不妨考虑把它转换成名词形式，例如常见的 increase/decrease 可以变成名词，与 experience/witness/undergo 等动词搭配。

3. 从句

多个简单句可以通过适当的手段构建成复杂句，例如用定语从句进行修饰，用状语从句进行联系。更为高级的从句用法包括名词性从句，它们省略了具体的主语或者宾语，可以让句子更加简洁，例如：

What is interesting in their hypothesis is a new paradigm that can reconcile the discrepancies between theoretical predictions and experimental observations.

用以上这几个办法，前面的例子可以瞬间有一个升华：

Finally, in order to investigate whether human activities caused the potential extinction, the difficulty of such a task entails a large amount of resources and time in the process. When we realize the true cause it could be too late to save them. The complexity of nature means that human activities can affect a species' survival indirectly. For example the extinction of large predators such as American Cheetah at the beginning of Holocene 12 thousand years ago in North America <u>is believed to result from human activities, which, however, did not involve direct slaughter of</u> large mammals (because human can't). Instead, <u>it was the prey of large predators</u> that was captured and killed by men and caused large mammals to die of starvation. As this example illustrates, the cause of the potential extinction <u>is not as simple as it seems at first glance</u>. If we <u>do nothing to protect endangered species until</u> human activities are found guilty, the animal might have already become extinct by the time we figure out <u>what the real cause is</u>.

上文提到了几种基本的润色语言方式，如果大家想要做更多的积累，可以参考《GRE 写作高频题目及考点精析》中的 40 篇高分 GRE 作文的语言表达。

关于 GRE 写作的常见 8 大问题

1. GRE 写作多少分够用?

这个问题最实在，也最应该问。就考试本身而言，理工科同学一般 3 分够用，文科同学一般 4 分够用。当然也不排除一些特殊项目，如哥伦比亚大学新闻专业不仅要求申请者具备 5 分的写作水平，还会要求申请者参与新闻院自己的写作考试；又如耶鲁的生物专业甚至可能要求博士申请者具备 GRE 写作 5 分的水平。

2. GRE 写作最好考到多少分?

虽然我们给出了文科同学和理工科同学的 GRE 写作分数的底线，但是这并不是一个最理想的分数。因为 GRE 写作直接关乎大家在以后研究生院的学术文章发表，所以必须有好的写作水平。一个 4 分的写作分数可能标志着大家在研究生院的写作中只要经过一定时间的训练就能写出合格的英文写作，但低于这个分数的话，大家可能就要付出更多努力了。

3. 制约中国考生 GRE 写作的最根本原因是什么?

"GRE 写作不考语言，考逻辑和论证。"大家都应该听过这句话，但这句话的前提是：大家写作的语言已经过关了。然而，现实情况远非如此。所以，制约中国考生 GRE 写作的不仅有逻辑和论证，还有语言。

4. 怎么把文章字数写多?

面对一道题目，写不多的原因有以下几个：
① 想不出分论点。
② 不知道如何把分论点拓展成丰满的一段话。
③ 不知道如何用合宜的英文表述一段一段的话。
④ 打字速度不快，即便能够转化成英文，也打不出来。

5. 如何攻克以上问题?

① 因为所有 GRE 写作题目都是公开的,所以考生完全可以通览题目(至少是高频题目)提前想好分论点。

② 中间段的写法有套路可循,考生只要掌握这个套路,会很容易写好一个中间段。

③ 这些问题的解决最需要日积月累,但是依然有一些语言模板可以帮助到考生。

④ 一天打字两个小时,一周之内打字速度可以飞速提升。

6. 有所谓的"高频题目"吗?

有。大陆地区几个月内的高频题在稳定中显示出小的变化,因此高频题有相当的复现率。

7. 作文有所谓的语言模板吗?

应试作文都是有模板的。但模板应该分为两种:一是思维模板,二是语言模板,这两者在 GRE 写作中都占有举足轻重的地位。而大家几乎没有积累思维模板的习惯。而那些老掉牙的"with the fast development of society, a topic has attracted increasing attention"的语言模板也不再适用了。

值得一提的是,不少同学喜欢在 GRE 写作中用到 GRE 词汇,这在现阶段我们是不推荐的(关于这一话题的详细讨论,请参看《要用 GRE 词汇写 GRE 作文吗》一文)。但对于一些 GRE 阅读和填空中出现的短语我们却可以使用,关于这一点,大家可以参考《GRE 高频短语搭配》一书,里面给出了具体的短语使用示范。

8. 短期内可以帮助我取得高分的策略是什么?

① 重点准备高频题的思路。

② 熟记最经典的思维模板和语言模板。

③ 提升打字速度。

④ 避免常见的语法错误。

写作没例子,怎么办

GRE 的 Issue 考试题目涵盖范围广,从艺术、科技到政治、教育,几乎可以说是无所不包。面对如此丰富多样的领域,必须积累一定的例子。但有些同学会在准备例子时陷入一系列怪圈甚至是误区,比如:

1. 误区一:要背大量例子

很多同学认为自己文章字数写不多是因为没有例证,因此在准备 GRE 考试时用绝大部分时间进行例证的背诵。这完全是不必要的,甚至是错误的。GRE 的 Issue 题目虽有 152 道之多,但有一半的题干是极为相似甚至是一模一样的,而这 70 余道题目又可以划分为几个领域,因此,考生只需要按领域准备例证即可。

为大家推荐的领域为：艺术，科技，政治和教育。每个领域大家只需要准备 2~3 个例证即可，如：

① 艺术：Da Vinci（达·芬奇），Monet（莫奈）

② 科技：Newton（牛顿），Edison（爱迪生）

③ 政治：Lincoln（林肯），Roosevelt（罗斯福）

④ 教育：Confucius（孔子），Socrates（苏格拉底）

例子本身是不分雅俗真假和古今中外的，关键在于如何变换例子的使用范围。如：Roosevelt's New Deal Policy（罗斯福新政）的例子就可以从"领导者的大局观""领导者的成就与国家伟大""领导者与社会需求"等诸多方面切入，也因此可以适用于诸如 16、62、69、94、104、114，128、147 等题目。

2. 误区二：例子要有名

例子要有名，必须是名人名例——这是典型的错误想法。虽然名人的例子更广为人知，且容易搜寻，但正如之前所说，例子是不分雅俗真假的。生活中的例子、自己的例子都可以使用。6 分范文中考生就用到了自己系主任的话作为例子，这完全是可以的。

例子的好坏不在于内容，而在于使用方式。贴合主旨的例子才是好例子，而如何贴合主旨是最难的，也是考生最容易忽略的。例如，学生希望表达的主旨是：Leaders would inevitably confront a dilemma in which they struggle between their own principles and public opinions，而这时考生想要举出罗斯福在实施新政时的例子作为凭据，就不能只是说 Roosevelt's New Deal Policy is a great example for my claim，而应该最大程度上挖掘例证的内容并将其和主旨相结合，例如：Roosevelt greatly exemplifies my claim. He, as well as the whole United States, encountered the Great Depression, and he was therefore cornered by a plight wherein he hesitated between his own objectives for curing the market and the capitalists' overt vituperation about doing so.

3. 误区三：例子的语言要华美

一些考生为了追求语言的华美，于是开始背诵 Wikipedia 中关于例子的描述性语言。这样做的弊端至少有三个：增加自己的记忆负担；导致学术剽窃（plagiarism）；导致背诵的语言和自己本身语言风格不一致。

而正如上一段所示，真正好的例子的语言应该是主旨部分的同义改写或具体化，因此考生需要做的就是：掌握例子的大致内容，然后根据自己阐述的主旨对例证加以改写。由此可见：事前对于例子的过于细节化的掌握反而会影响例子使用的有效性。

如何写题目要求较长的作文

先看一道题目：

The main benefit of the study of history is to dispel the illusion that people living now are significantly different from people who lived in earlier times.

Write a response in which you discuss the extent to which you agree or disagree with the statement and explain your reasoning for the position you take. In developing and supporting your position, you should consider ways in which the statement might or might not hold true and explain how these considerations shape your position.

这道题题干很长，需要看两三遍。这道题的难点在于：① 句子太长，且成分复杂，同位语从句、定语从句纠缠在一起；② 内容太空，不知从哪方面落笔。

这两个难点让很多同学看不懂题，就算看懂了也难以凑出三个分论点。然而，面对这种"又臭又长"的题目，解题思路就是"分"！

STEP 1：拆分论点

这道题目可翻译为：历史研究的主要好处是它可以驱散"现在的人和过去的人大不相同"这一幻想。

面对这么长的题目，可进一步拆解为几个分论点，它们都是作者的论断：
① "现在的人和过去的人大不相同"这的确是幻想。
② 对于历史的研究可以驱散这一幻想。
③ 驱散这一幻想的确是研究历史最大的好处。

STEP 2：依据分论点列出提纲

对每一个分论点的解析都可以写一段。如此一来，文章的中间三段就已经成型了。以下是可以参考的英文提纲：

Position：generally disagree with the issue task
（立场：基本反对题目）

1. It is true that "people living now are significantly different from people who lived in earlier times" is an illusion in most circumstances.（"现在的人和过去的人大不相同"这在大多数时候的确是幻想。）

2. This illusion, however, could not be readily dispelled simply by virtue of the study of history. （只依靠历史的研究可能无法驱散这一幻想。）

3. Even if history study could to some extent dispel the illusion, I feel reluctant to ascribe this virtue to the main benefit of history study.（就算历史研究能够驱散这一幻想，这也不一定是研究历史最大的好处。）

STEP 3 给出例证支持观点

而对于每一个分论点的发展，只需要想出一定的理由或例证即可，比如：

1. Throughout history, the very obstacles obstructing the further development of human beings remain unchanged: disease, disasters and hunger, to name a few. （古往今来，人类面对的一系列阻碍我们进步的问题从未改变，如：疾病、饥荒、天灾等。）

2. The obstacles that remain historically unchanged, however, have been relegated to the peripheral area of history study, in great contrast to the fact that the diversities of different dynasties have attracted scholars' prioritized attention. （现行的历史研究更多强调的是不同朝代的不同点，而看不到那些一直未曾改变的问题。）

3. The main benefit of history, in most cases, lies in its capability of providing us with instructions for future actions. （历史研究的最大好处应该在于指导将来。）

这样一"分"，这道长难题就变得很简单，也容易写了。掌握了高频题目的破题思路和写作要点，在考场上就可以迅速建立起清晰的文章框架，可以不慌不忙地写完作文，也不用担心语文和数学分数被作文拖后腿啦！

GRE 写作到底练几篇够用

1. GRE 写作一共有多少题目？

GRE 写作有一个特色，也是大家应该利用的特点：它的题库是完全公开的。最终在考场上遇到的题目会直接从题库中抽取而出，不会做任何改变。所以，理论上讲，只要我们提前准备好所有题目，GRE 写作的高分是绝对能保障的，这一点和 GRE 的语文和数学都不一样。

看完题库之后，有些考生心灰意冷了。Issue 部分题目：152 道。Argument 题目：177 道。这样多的题目根本无从下手。但并不是真的有这么多题。不论是 Issue 还是 Argument，有很多题目的题干高度相似甚至完全一样，重复率几乎为 50%。这样一来，Issue 部分需要准备的题目数量就变成了 76 道，Argument 部分需要准备的题目数量就变成了 89 道。

2. 要减负，就减负得"狠"一些

同学们在准备写作时，容易陷入一个对题目的错误分类方式（或说是不高效的分类方式）：Issue 按照"领域（即艺术、政治、科技、教育等）"分类，Argument 按照"经典逻辑错误（臆造因果，错误类比等）"分类。这样的分类方式适用于老 GRE 考试，如果考生依然按照这样的分类方式，很有可能就会陷入误区。

现在的 GRE 写作题目应该是按照 Instruction 分类。前面已经提到多次，Direction 是指"具体性指令"或"写作要求"。例如下面这道题：

As people rely more and more on technology to solve problems, the ability of humans to think for themselves will surely deteriorate.

Write a response in which you discuss the extent to which you agree or disagree with the statement and explain your reasoning for the position you take. In developing and supporting your position, you

题目下面这段就是 Direction。有的同学以为每道题目下面的 Direction 都是一样的，所以根本不看。这是完全错误的。不看 Direction 的后果很严重，ETS 明确说：如果不按照 Direction，最高分不会超过 3 分。

而 Issue 当中一共有六种 Direction，Argument 当中一共有四种 Direction，每一种对行文都有不同的要求。所以应该按照 Direction 来对题目进行分类。这样一来，需要准备的题目的类别数量即为：Issue 六道，Argument 四道。加在一起是 10 道题目，是原来总题目数量的 3%。

3. 距考试只有一周了，练几篇？

离考试只有一周才来准备作文的同学其实也不在少数，在这样的时间节点上，因为 Argument 的套路性更强，模板也更好用，因此更好拿分，所以要"保 Argument，争 Issue"，即把重点放在 Argument 上面，而 Issue 部分只需要明白写作要点，实在没有时间就可以不做全文练习了。所以，最少应该练四篇。

一招让考官眼前一亮

作文迟迟不能突破 3 分瓶颈，Issue 举不出例子是 GRE 中国考生的一大通病。常常有同学问：到底 GRE 作文写成什么样才算是一篇好的作文呢？本篇就以一篇高分作文为例，告诉大家什么样的作文才能写到考官心里。

作文题目：

In order for any work of art—for example, a film, a novel, a poem, or a song—to have merit, it must be understandable to most people.

Write a response in which you discuss the extent to which you agree or disagree with the statement and explain your reasoning for the position you take. In developing and supporting your position, you should consider ways in which the statement might or might not hold true and explain how these considerations shape your position.

高分作文：

Puzzled by perplexing paintings, we are nevertheless enamored by a painter's impressive strokes. And while the meaning of a poem may elude us, its emotional expression does not pale. Such ambiguity in comprehensibility and complexity of art constantly occurs in various art works. While the author declares art's intelligibility to be paramount, I appreciate obscure art works as well. The seeming obscureness actually mirrors the artists' dignity as well as the affluence of both the expression and representation of the artists' mental works. All of these characteristics contribute to the irreplaceable merits of art.

I have to admit, on the one hand, that lucidity abounds in a great amount of popular artwork, from a Hollywood action movie to a catchy street song. Thanks to the work's clarity in terms of content and expression, people come to know it, accept it and, finally, are inclined to spread it. This characteristic of being understandable enables artwork, which used to be exclusive to the noble and upper class, to flourish in public and thereby attain fresh significance in modern society.

Artists, however, do not always have to pander to the market, sometimes even at the cost of sacrificing art's integrity and uniqueness. Neither is it possible that every single individual would have an equal aesthetic appreciation of the works created by a great master with peerless skills and special personal experience.

While I cannot turn a blind eye to copious popular movies, songs and TV shows which emphasize the market over grace and elusiveness, I am hesitant to hastily generalize all kinds of art in the same way. Pandering to the public may gain handsome profits for a while, but the resulting artworks will soon lose its value due to the absence of enduring attraction. For supporting examples, let us turn to popular artwork: an album with a flamboyant cover, or a film lavishly decorated with advanced visual technology. Have they gained enviable popularity in the public? Possibly, Has their adulatory catering to the public taste earned them abiding merits? Hardly, The very fact that these music and film companies must conjure up various new productions one after another ironically reveals the producers' awareness of the evanescent value of their works and their trepidation of losing the market due to such fleeting value.

More importantly, the possession of merit does not necessarily require artwork to be intelligible. In fact, art's merit is primarily embodied in the artist's skill mastery, as well as by the representation of his inner world. Such skills frequently remain exclusive to the artist due to its opaqueness for normal people to understand; likewise, the artist's unique personal experience also alienates him from those who do not share similar stories. The artwork, therefore, is not always understandable to most people, but under no circumstance does this complexity hinder the artwork form achieving its intrinsic worth. Picasso's "Guernica", one of many possible examples, sufficiently supports my claim. Prestigious for its adept expression of cubism and surrealism, as well as its vivid portrayal of the painter's mental agony and fury about the fascists' trample on innocent people, "Guernica" has achieved worldwide fame. However, the abstruseness of this work's expression precludes common appreciation; similarity, people with no experience of fascism fail to sympathize with the painter. Nevertheless, few dispute "Guernica's" arcane expression and theme, but, rather, applaud it as a highly meritorious masterpiece.

To summarize, while we may feel a sense of closeness with the artists when previously elusive artwork becomes accessible, such a switch in most scenarios takes place at the expense of art's integrity. To gain a better understanding of art, we should better foster our aesthetic appreciation, rather than juvenilely demanding the convergence of elegance and mediocrity.

（该文章出自《GRE 写作高频题目及考点精析》）

重点片段：

以这篇文章为例来看什么样的事例才是具有说服力的 (persuasive)，着重来看第五段。第五段一共有三个层次，第一层是第一句，也就是这一段的中心句；第二层是第二句到第五句，是对中心句的事理论证；剩下的部分是第三层，即对中心句的事例论证。其中，事例论证非常紧密地贴合了事理论证，让全段更有说服力。

事例论证对事理论证的贴合主要体现在以下两个方面：

1. 内容和推理的一致性

事理论证说了四层意思：

① 艺术作品的价值主要体现在作品的技艺和作者内心世界的展现中。

② 作品的技艺通常高深难懂，普通人难以理解。

③ 作品所体现的作者的内心世界也往往让没有相似经历人的人不知所云。

④ 这样的作品往往让普通人难以企及，但这并不阻碍该作品价值的实现。

相对应，事例部分同样也说了四层意思：

① 毕加索的《格尔尼卡》以其高超的立体主义和超现实主义，以及画家面对法西斯酷刑的愤怒的内心世界的展现而闻名。

② 但《格尔尼卡》技艺的晦涩让普通人难以理解。

③ 并且没有经历过法西斯酷刑的人也很难与作者有共鸣。

④ 但人们不但不责备《格尔尼卡》晦涩的手法和曲折的主题，反而把它奉为价值倾城的经典之作。

事例部分和事理部分的推理过程和主要内容完全一致，这就使事例最大程度地发挥了其辅佐事理进行论证的效果。

2. 语言上的照应

这一点主要体现在用词上。在事理部分出现过的一系列关键概念，如"难懂（opaqueness）""理解（understand）"在事例说明中不断进行同义改写，如"难懂（abstruseness, arcane）""理解（sympathize with, common appreciation）"等。

另外，事理说明中相当关键的逻辑连接词如 but, likewise 等也呼应着事例说明中的 however, similarly。

事例论证通过这样同义改写的方式对事理论证进行照应，一方面能让这二者在内容和逻辑上浑然一体，另一方面也可以增加语言表达的多样性。

总结：

要举出具有说服力的例子，必须要做到：

① 使事例和事理在内容与逻辑上保持一致。

② 语言上进行同义改写。

所以，例子的好坏不在于例子的知名度，而在于如何使用例子。所以，要打动作文考官，与其使用有名的事例，不如仔细思考如何打磨例子，让它真正为文章的论证服务。关于更多例子的使用，大家可以参考《GRE 写作高频题目及考点精析》，这本书中的 20 篇 Issue 范文为大家提供了多种多样的例子的使用借鉴。

Part 5

数学

什么叫提高效率？就是把别人刷朋友圈的时间拿来刷微臣的"救命800词"。

——王鑫妍

Bryn Mawr College，线下325班学员

2017年9月29日GRE考试

Verbal 160 Quantitative 162 AW 4.0

利用相似三角形解 GRE 数学题

　　相似三角形是初中数学的知识点，本身很简单，但是在 GRE 数学中却很容易被同学们忽略。很多同学在考场上面对下面这道题目会手足无措，花费大量时间最终却不得其解。其实，如果用相似三角形的知识，这道题目会迎刃而解。

> As in the equilateral triangle *ABC*, ∠*ADE*=60°, *BD*=3, *CE*=2. Then what is the side length of *ABC*?

翻译 有一个等边三角形 *ABC*，知道一个角 ∠*ADE*=60°，*BD*=3，*CE*=2，需要求等边三角形 *ABC* 的边长。

解析 看到这种题，大家心里一定要有一个预期：一般这种不包含圆的几何题很大程度都是考查相似三角形。

题目中我们已知的信息是：

∠*A*= ∠*B*= ∠*C*=60°

∠*ADE*=60°

从图中我们可以得到以下信息：

∠*BAD*+ ∠*BDA*=120°

∠*CDE*+ ∠*BDA*=120°

于是推出：∠*BAD*= ∠*CDE*

又因为，三角形 *ABD* 和 *DCE* 分别有两个对应的角度相同，于是这两个三角形是相似的，那么对应边成比例：*EC*/*CD*=*BD*/*AB*

这时还没有结束，我们注意到 *AB*=*BD*=*DC* 代入 *BD*=3，*CE*=2，于是有了这样的式子 2/*CD*=3/(*CD*+3)，解得 *CD*=6，那么边长就是 9。

答案 边长是 9

　　GRE 的数学部分所考查的知识点主要相当于国内初高中的水平。难度虽然低，但是知识点的数量很多且杂。因此对于想要数学部分考到满分的同学来说，将数学基础知识学扎实，并且达到融会贯通的程度才是最好的方法。

善用解析几何来做数学题

解析几何是高中数学的知识点，不管是文科生还是理科生，都会觉得解析几何很难。其实在 GRE 数学中，针对一些比较复杂的几何题目，如果能用解析几何的方法去做的话，难度会大大降低。下面是一道可以利用解析几何将题目化繁为简的例题。

> Square *ABCD* is inscribed in a circle with center *O*. AB=BE=1 and *F* is the intersection of *OE* and *BC*.

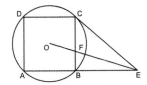

🔖 **翻译**　正方形 *ABCD* 内接于圆 *O*。AB=BE=1，*F* 是 *OE* 和 *BC* 的交点。

🔖 **答案**　C

🔖 **解析**　看到这道题目，很多同学首先想到的是利用相似三角形的方法来做。

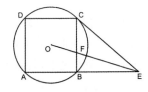

做一条过圆心 *O* 的垂线，与 *AB* 相交于点 *P*。找到相似三角形，之后得出的 *OP/BF=EP/BE*，最后得出 *BF*=1/3。

用几只鞋教你做对概率题

数学概率往往是比较头疼的问题，但经过一定的训练，所有问题都会迎刃而解。下面两道题目便是 GRE 数学中关于概率的知识点考察难度比较高的例子。

> 1. Bo is very sleepy but still has to get up to work. He is so sleepy that he cannot open his eyes, consequently, he picks socks at random from his drawer which contains 3 pairs of black socks, 2 pairs of white socks, and 1 pair of red socks. What is the minimum number of socks that he must pick in order to ensure that two socks of the same color have been picked?
>
> A. 3
>
> B. 4
>
> C. 5

2. Bo has successfully gotten a pair of socks. But he is still too sleepy to open his eyes, so he starts to select at random in his shoe rack on which lie 3 pairs of black shoes, 2 pair of white shoes, and 1 pair of red shoes. What is the minimum number of shoes that he must pick in order to ensure that a pair of shoes have been taken?

    A. 3

    B. 4

    C. 5

    D. 6

    E. 7

这两道题目乍一看似乎没什么区别，但实际上有本质不同。第一题说 Bo 睡眼蒙胧去找袜子，他有 3 双黑色的、2 双白色的、1 双红色的，问找多少次才能保证有一双颜色一样的袜子。第二题说 Bo 找完了袜子后去找鞋子，还是 3 双黑色的、2 双白色的、1 双红色的，问找多少次才能保证有一双。

这两道题的区别在于袜子是不分左右的，而鞋子是分左右的。袜子只要有两只颜色一样的就能凑成一双，而鞋子必须要有一只左脚一只右脚。

这类题可以用"抽屉原理"去解决。抽屉原理说的是 n+1 个球放进 n 个抽屉里，那么至少有 1 个抽屉放了两个球。如果要保证 n 个抽屉里至少有 1 个抽屉放了 2 个球，那么至少必须得放 n+1 个球才可以。抽屉原理也称为"最差情况原理"。我们考虑最差的情况，也就是 n 个球分别放进了 n 个抽屉里，每个抽屉各有一个球，那么再多放一个就一定可以满足条件了。

再看上面的两道题，第一题的袜子不分左右只分颜色，因为有三种颜色，于是有 3 个抽屉。于是最差的情况是，Bo 抽了 3 次，分别抽出了黑、白、红三只颜色不同的袜子，那么随便再抽一次就一定可以有袜子出门了。所以第一题答案是 B 选项，4 次。

第二题的鞋子是既分颜色也分左右的，于是有 6 种组合，即 6 个抽屉。于是最差的情况是，Bo 抽了 6 次，把 6 双鞋子中的 6 只左脚都抽出来了，但是依然出不了门，于是随便再抽一次就可以保证有一双鞋子了。所以答案是 E，7 次。

概率和排列组合是中学数学中的重点和难点，同时也是 GRE 数学考试的必考知识点。但是这类题型往往不能仅仅通过套公式就得出答案，而更多的是要凭借考生灵活的思维方式。因此要想保证得到这类题型的分数，必须加大练习量，多多尝试不同的题目来拓宽自己的思维。

质数、多边形内角和放在一起考

质数、多边形、内角都是初中的数学知识点，但当这些知识点组合到一起，就不一定那么简单了。

请看例题：

For a regular polygon, if the ratio of interior angle to exterior angle is m/n, where m and n are co-prime integers.

Quantity A：n　　　Quantity B：2

A. Quantity A is greater

B. Quantity B is greater

C. The two quantities are equal

D. The relationship cannot be determined from the information given.

答案　D

翻译　有一个正多边形。这个多边形的内角与外角的比例是 m 比 n（m/n），而且 m 和 n 是互质的，请比较 n 和 2 的大小。

解析　① 从正多边形入手，假如这个多边形有 k 条边，那么内角和就是 $180 \times (k{-}2)$。

② 由于多边形是正的，所以每个内角都是 $180 \times (k{-}2)/k$。

③ 相应的每个外角都是 $180 - [180 \times (k{-}2)/k]$，于是内外角的比例可以求出来是 $k{-}2/2$。

注意：多边形的一个内角和其对应的外角互补，两者之和为 180。

所以，$k{-}2/2 = m/n$，那么 n 只有可能是 1 或者是 2，所以这道题就选 D。

总结：

① Regular polygon：正多边形（各边长和角度都一样的多边形）

② 多边形内角和：$180 \times (k{-}2)$

③ Ratio of A to B：A/B

④ Co-prime：互质，即最大公约数为 1

考前必会数学题（上）

考前必会数学题1——循环小数化分数

"考前必会数学题"通过练习几道考试题目帮助同学们回顾经常考到，但同学们却经常会忽略或易错的知识点。

首先看一下循环小数在 GRE 数学中的考法。例题如下：

Suppose a, b, c are different integers, and 0.abc=$\frac{m}{n}$, where 0<m<n<100, and $\frac{m}{n}$ is the simplest fraction, then

Quantity A=n   Quantity B=39
A. Quantity A is greater.
B. Quantity B is greater.
C. The two quantities are equal.
D. Cannot be determined.

答案　B

解析　这道题的难点在哪里呢？在 GRE 数学部分，分数和小数的互换很常见。其中，分数化成小数很容易，用计算器就能算出来；有限小数化成分数也不难；无限不循环小数没办法化成分数。但是，将无限循环小数化成分数就是本题的难点所在。

对于无限循环小数，先将其写成循环小数的表达方式，例如 0.2222……则应当写成 0.2，之后进行转换。先看循环节，若有 a 位，则在分数的分母处写 a 个 9，然后再看非循环节，若有 b 位非循环数字，则在分母的最后加 b 个 0。而对于分子，写下小数点之后的所有数字减去非循环节数字的差值。

请把下列循环小数改写为分数：

① 0.433333333333……=0.43

因为循环节有一位，非循环节的小数部分也有一位，因此分母是 90。第一个循环节结束的部分是 43，减去非循环节的 4，等于 39，这个就是分子。于是 0.43333333...=39/90=13/30

② 0.54949494949……=0.549

因为循环节有两位，非循环节有一位，所以分母是 990。分子则是用第一个循环节的结束的部分减去非循环节的部分 549-5=544，分子是 544，于是 0.549494949...=544/990

再回到开始的题目。运用刚才的办法，应该很清楚地知道，0.abc=abc/999，而题目中说了 0.abc（循环）=m/n，所以 abc/999 应该可以化简为 m/n，并且题目给了条件为最简分数。999=3×3×3×37，于是 n 就只可能是 3,9,27 或是 37，无论哪种情况都是比 39 小，于是答案选 B。

总结：

无限循环小数化分数，循环节有几位就在分母位置写几个 9，小数点后面有几位不在循环节里，就在分母后面补几个 0。小数点后第一位直到第一个循环节结束，减掉不在循环节的数字，得到分子。

考前必会数学题 2——质因数分解

质因数分解是高中所学到的知识点，但是因为使用频率不高，因此特别容易被忽略。在下面一道 GRE 数学真题中，就可以看到质因数分解的使用。

How many integers between 360 and 630 are there such that they have odd number of positive divisors.

A. 3

B. 4

C. 5

D. 6

E. 7

答案 E

解析 从 360 到 630 之间有几个数，这些数有奇数个正约数（因子）？

解法 1 一个整数的约数个数我们可以通过质因数分解来得到。假如该数可以分解为 $n=p_1^{k_1}p_2^{k_2}\cdots p_l^{k_l}$，其中 $p_1\cdots p_l$ 是不同的质数，那么该数的约数个数 $n=p_1^{m_1}p_2^{m_2}\cdots p_l^{m_l}=(p_1^{\frac{m_1}{2}}p_2^{\frac{m_2}{2}}\cdots p_l^{\frac{m_l}{2}})^2$ 数为 $(k_1+1)\cdots(k_l+1)$，比如 $12=2^2\times3$，那么 12 就有 $3\times2=6$ 个约数（即 1,2,3,4,6,12）。再比如，那么 $60=2^2\times3\times5$ 就有 $3\times2\times2=12$ 个约数（即 1,2,3,4,5,6,10,12,15,20,30,60）。

这个公式可以通过简单的排列组合得到。我们知道 n 的每个约数一定都可以写为 $n=p_1^{m_1}p_2^{m_2}\cdots p_l^{m_l}$，其中每个 m 都小于等于相应的 k。那么根据排列组合的乘法原理，m_1 有 k_1+1 种选法（即 $0,1,2,\cdots,k_1$），以此类推，m_l 有 k_l+1 种选法（即 $0,1,2,\cdots,k_l$）。所以共有 $(k_1+1)\cdots(k_l+1)$，也即 $(k_1+1)\cdots(k_l+1)$ 的约数。

注意：知道了怎么求一个数的约数个数，我们要怎么做这道题呢？题目问的是有奇数个约数的整数个数，那么什么样的数才能有奇数个约数呢？由上面的公式可以看出，如果要有奇数个约数，那么必须 $k_1,\cdots,k_l$ 都是偶数，也就意味着 $n=p_1^{m_1}p_2^{m_2}\cdots p_l^{m_l}=(p_1^{\frac{m_1}{2}}p_2^{\frac{m_2}{2}}\cdots p_l^{\frac{m_l}{2}})^2$ 是一个完全平方数。从 360 到 630 的完全平方数有多少个呢？数一数可以知道有：$19\times19=361, 20\times20=400, 21\times21=441, 22\times22=484, 23\times23=529, 24\times24=576, 25\times25=625$，共 7 个，答案选 E。

解法 2 我们还可以这样想，若有一个正整数 n 大于 1，则其至少有 2 个正因子，为 1 和它本身 n，若假设 a 为 n 的一个因子，则 n 能被 a 整除，得到另一个整数 b。这样一来，因子就必定是成双成对出现的，除非有一种情况，为 a=b，才能使得正因子为奇数个，则 n=a^2。因此 $360 \le a^2 \le 630$，则 $19 \times 19 = 361$，$20 \times 20 = 400$，$21 \times 21 = 441$，$22 \times 22 = 484$，$23 \times 23 = 529$，$24 \times 24 = 576$，$25 \times 25 = 625$，共 7 个，答案选 E。

考前必会数学题 3——正负的陷阱

下面是一道有陷阱的算术题：

If n is an integer and $9 < n^2 < 200$, then n could have at most how many values?

    A. 10

    B. 11

    C. 12

    D. 20

    E. 22

答案 E

解析 这是一道典型的 GRE 的算术题，题目不难，但是陷阱却有一大堆。首先看到 n 是一个整数而且满足平方落在 9 和 200 之间，且不包括端点，于是简单的推算可以得出 4^2 落在该范围内，一直到 14^2。

于是重头戏来了，这里有两个容易犯错的点：第一，从 4 到 14 共有 11 个数而不是 10 个；第二，题目只说 n 是整数，并没有说是正的还是负的，于是正负都有可能。那么如果 4 满足，-4 也满足，所以有 4~14 和 -14 ~ -4 总共 22 个整数满足条件，答案是 E。

考前必会数学题 4——多边形内角和与互质

请看下面一道关于多边形内角和与互质的题目：

For a regular polygon, if the ratio of interior angle to exterior angle is m/n, where m, n are coprime integers.

    Quantity A: n Quantity B: 2

    A. A > B   B. A < B

    C. A = B   D. cannot be determined by the condition given

答案 D

翻译 有一个正多边形，它的内角与外角的比例是 m 比 n，而且 m 和 n 是互质的，请比较 n 和 2 的大小。

① 从正多边形入手，假如这个多边形有 k 条边，那么它的内角和就是 $180^{\circ} \times (k-2)$。

② 由于多边形是正的，所以每个内角都是 $180^{\circ} \times (k-2)/k$。

③ 相应的每个外角都是 $180^{\circ} - [180^{\circ} \times (k-2)/k]$，于是内外角的比例可以求出来 $k-2/2$。

需要注意的是：内外角的和是 180°。

所以，$k-2/2 = m/n$，那么 n 只有可能是 1 或者是 2，那么这道题就选 D。

总结：

① regular polygon：正多边形（各边长和角度都一样的多边形）

② 多边形内角和：$180^{\circ} \times (k-2)$

③ ratio of A to B：A/B

④ co-prime：互质，即最大公约数为 1

考前必会数学题（下）

考前必会数学题 5

请看下面这道题：

A box at a yard sale contains 3 different China dinner sets, each consists of 5 plates. A customer will randomly select 2 plates to check for defects. What is the probability that the 2 plates selected will be from the same dinner set?

A. $\dfrac{2}{7}$

B. $\dfrac{2}{5}$

C. $\dfrac{2}{3}$

D. $\dfrac{5}{6}$

E. $\dfrac{3}{2}$

答案　A

解析　GRE 的概率题绝大多数都是考查排列组合的计算技巧，概率 $=\dfrac{\text{满足条件的取法个数}}{\text{所有可能的取法个数}}$，需要熟记排列组合的公式并灵活运用。记住，在 GRE 中，如果题目没有明确声明"描述对象"是不能区分的，则都按照不同去处理。对于此题即盘子跟盘子都是不一样的；类似的如果题目问几只狗，那么狗跟狗也是不同的。具体解析如下：

对于这道题有两种方法。一种是直接计算。所有的取法有 $C_{15}^2 = 105$ 种，因为总共 15 件，取出两件，且不论顺序。而满足条件的取法可以由两个步骤来获得，第一步确定这 2 个盘子来自哪个 dinner set，共 $C_3^1 = 3$ 种，第二步确定在该 dinner set 种具体是哪两个盘子，共 $C_5^2 = 10$ 种，所以满足条件的取法一共有 30 种，概率为 $\dfrac{30}{105} = \dfrac{2}{7}$。

此外，也可求得反面事件的概率，再用 1 去减。反面即取出的两个盘子归属于不同的 dinner set，有 3 个步骤：第一步确定是分别来自哪两个不同的 set，有 $C_3^2 = 3$ 种，第二步确定其中一个盘子是那个 set 的哪一个具体的盘子，第三步确定另一个盘子是 set 中的哪一个，一共有 $3 \times 5 \times 5 = 75$ 种，即取出两个盘子归属于不同的 set 的概率为 $\dfrac{75}{105} = \dfrac{5}{7}$，再用 1 减去 $\dfrac{5}{7}$，也可以求得答案为 $\dfrac{2}{7}$。

最后，提醒各位 GRE 考生，组合的公式 C 在考试的时候，除了常见的 C_n^m 之外，还有一种形式为 $\binom{m}{n}$，一定也要认识。

考前必会数学题 6

请看下面这道题目：

Number of pets	Number of employees
0	2
1	3
2	2
3	3

There are 10 employees in an office, excluding the office manager. The table above shows the number of pets each employee has. Were to include the manager in the table, the average (arithmetic mean) number of pets per person would be equal to the median of pets per person. How many pets does the office manager have?

答案 6

解析 题目说总共有 10 个员工，分别有表格内所列个数的宠物。另外如果把经理算上，那么中位数和平均数相等，问经理有多少只宠物。这道题，可以简单地算出这 10 个人总共有 16 只宠物，加上经理之后总共有 11 个人。在没算上经理之前，我们先将所有的宠物个数从小到大排列：0，0，1，1，1，2，2，3，3，3。则中位数为第 5 和第 6 个数的平均值，为 1 和 2 的平均值，是 1.5，平均值为 16/10，为 1.6。若将经理算在内，则中位数应该为第 6 个数字，若经理的宠物个数小于 2，为 0 或 1，则中位数为 2，根据题目要求，平均数也应该为 2，则总数为 22，原有的宠物数量为 16，而经理预设为小于 2，无法达到 22，所以经理宠物总数大于或等于 2，则中位数仍然为 2，则平均值也应为 2，宠物总数为 22，则经理有的宠物总数应为 22−16=6。

注意：

对这道题来说，由于宠物的数量不可能是负数，所以不需要考虑负数的情况。如果把题目稍微修改，忽略掉题目中的实际情景，只假定有 10 个数据，如表格右列所示，现在额外加上一个数据，使得它们的平均数等于中位数，求新加入的数据。在这种情况下，就必须考虑加入的数可能为负数。10 个数的和为 16，另外一个数就有可能是 6 或者 –5。

考前必会数学题 7

请看下面的题目：

67 students are taking part in two activities, A and B. 52 of them play A while 21 play B. If all but 5 students play at least one of the two activities, then what is the number of students who play A or B but not both.

解析　对于集合类的题目，最简单有效的方法就是维恩图。根据 all but 5 可知有 5 个人 2 项活动都没参加，由于总共有 67 人，可知其中有 62 人至少参加了一项。A 活动有 52 人，B 活动有 21 人，于是同时参加了两项的人为 52+21-62=11 人。那么只参加 A 活动而没有参加 B 活动的人数为 41，只参加 B 而没有参加 A 的有 10 人，于是参加了 A 或者 B 但不是 2 项都参加的有 51 人，如下维恩图所示。

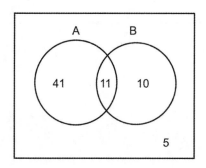

考前必会数学题 8

下面这道题让无数同学掉进了陷阱：

$x^a y^b z^c$ equals the product of 154 and 56, $z>y>x$ and $a>b>c$, then what is the value of $a^x b^y c^z$?

    A. 1024

    B. 2048

    C. 8624

    D. 22528

    E. cannot be determined by the condition given

答案　E

解析　很多同学看到题目给的条件之后，第一反应是 $x^a y^b z^c$ 是一个质因分解形式，若它等于 154 和 56 的乘积，则应先将 154 和 56 进行质因分解：$154=2\times7\times11$，$56=2^3\times7$，则两者乘积为 $2^4\times7^2\times11$，这样大小关系意义对应，$x=2,y=7,z=11,a=4,b=2,c=1$，再按照题目的要求，求 $a^x b^y c^z=4^2 2^7 1^{11}=2048$，很兴奋地选了 B 选项。这样解题的同学就直接默认了 x, y, z 和 a, b, c 均为 positive integer。

首先，题目并没有告诉我们 x, y, z 和 a, b, c 都是正数，因此 $2^4\times7^2\times11$ 可以等于 $(-2)^4\times(-7)^2\times11$，前两个因数的指数均为偶数次方，结果恒正。

其次，题目也没告诉我们 x, y, z 和 a, b, c 都是整数，例如 $2^4=8^{\frac{4}{3}}$，这样得出来的结果也不同，相同的例子层出不穷。

因此，在做 GRE 数学题目的时候，心里应该时刻提醒自己，正整数（positive integer）这两个条件是否会对这道题的解题产生影响。

考前必会数学题 9

请看下面的题目：

> Suppose n is a two-digit positive integer with units digit 5 and tens digit u. Now if $E=\dfrac{(n^2-25)}{100}$, then express E in terms of u.
>
> A. $u+1$
> B. u^2+1
> C. u^2-u
> D. u^2+u
> E. u^2+u+1

答案　D

解析　对这道题，首先要了解英文中数字的每个位数的说法。其中 units digit 或者 ones digit 表示个位，tens digit 表示十位，hundreds digit 表示百位，以此类推。而小数点后面的位数分别为 tenths digit 十分位，hundredths digit 百分位，以此类推。所以，这道题是说有一个两位数 n，它的个位是 5，十位是 u。可以把 n 表示成 $n=10u+5$，那么代入到 E 中可知 $E=\dfrac{((10u+5)-25)}{100}$ $=\dfrac{100u^2+100u}{100}=u^2+u$，可得答案选 D。

当然，作为一道带参数的选择题，更简便的方法是代数去试试，比如 $n=15$，则 $u=1$，$E=2$；$n=25$ 则 $u=2$，$E=6$，即可知答案为 D。

平时做题时尽可能把题目的每一个细节都想明白，如果在考场遇到，尽可能使用某一些做题技巧。

Part 6

背景知识

备考 GRE 的过程就是：重复，重复，再重复。
而微臣会把 GRE 变得：清楚，清楚，更清楚。

——赵一博
北京大学，线下 325 学员
2017 年 11 月 5 日 GRE 考试
Verbal 164 Quantitative 170

GRE 常考作家——埃德加·爱伦·坡

GRE 考试中频频现身的英美文学巨匠的名字会让一部分考生感到棘手，比如 Thomas Hardy，Emily Dickinson，Virginia Woolf，还有 Edgar Allen Poe 等等。在考试中，对于大多数人名，我们的处理方法是取首字母，而并不用在意这个人究竟是谁。然而，尽管 GRE 考试在原则上不考查背景知识，但是对于其中出现频率较高的人物，如果能对他们的生平事迹略有了解，则可以更快地把握文章和题目的大意。

本篇首先介绍作家埃德加·爱伦·坡（Edgar Allan Poe，1809~1849），他是 19 世纪美国诗人、小说家和文学评论家，美国浪漫主义思潮时期的重要成员。而在 GRE 考试中只需知道两点：他是一位恐怖小说作家；他的文学评论非常棒。

爱伦·坡以神秘故事和恐怖小说闻名于世，他是美国短篇故事的先驱者之一，又被尊为推理小说的开山鼻祖，进而也被誉为后世科幻小说的始祖。他是第一个尝试完全依赖写作谋生的知名美国作家，但却贫困潦倒。爱伦·坡的恐怖小说带有浪漫主义的特色，纵观其恐怖小说创作，故事主题大都"揭示了人类意识及潜意识中的阴暗面"。他的恐怖小说的浪漫主义特色还体现在独特的创作风格上，通过展示死亡与丑恶来表现自己独特的浪漫主义灵感，以象征、隐喻的方式表达自己对世界、人性的理解。爱伦·坡的恐怖小说常常置景于深渊、城堡、暗室、暴风雨或月光之下，人物备受孤独、死亡意识与精神反常的折磨，读起来令人毛骨悚然、不寒而栗，宛如噩梦一般。

在爱伦·坡短短一生写下的作品中，文学评论是很重要的一部分。当时文坛上，除了 James Russell Lowell 之外，几乎无人可与之抗衡。Lowell 一向不轻易赞扬别人，却把爱伦·坡誉为"最有见识、最富哲理的大无畏评论家"。当代文学评论家 Edmund Wilson 也称"Poe 的文学评论确实是美国文坛上空前的杰作"。

有了这些背景知识后，再做 GRE 考试中涉及爱伦·坡的题目，就会更加得心应手了。请看例题：

①

🖋 **答案**　AE

🖋 **解析**　故事是一种萦绕心头的体裁；这些鬼怪故事不是故事中的劣质品，而是这类形式中的典范，Poe 在构思作品的时候，就一直在想着如何让读者在阅读这些小说的时候起鸡皮疙瘩。

②

🖋 **答案**　C

🖋 **解析**　爱伦·坡对当代小说的评论非常具有洞见力，他常常能够发现被他人低估的文学瑰宝，这让我们除了钦佩他广为人知的写作才能之外，还不得不钦佩他富有批判力的判断。

如果在做题之前，对 Allen Poe 有一定的了解，知道他因恐怖小说而闻名于世，他的文学评论也广受好评，那么对解决上面的题目确实能起到如虎添翼的作用。

GRE 常考作家——弗吉尼亚·伍尔芙

在了解本文的主人公之前，先来看一段 GRE 文章中对弗吉尼亚·伍尔芙（Virginia Woolf）的描述：

I want to criticize the social system, and to show it at work, at its most intense. **Virginia Woolf's provocative statement about her intentions in writing *Mrs. Dalloway* has regularly been ignored by the critics, since it highlights an aspect of her literary interests very different from the traditional picture of the "poetic" novelist concerned with examining states of reverie and vision and with following the intricate pathways of individual consciousness.** But Virginia Woolf was a realistic as well as a poetic novelist, a satirist and social critic as well as a visionary: literary critics' cavalier dismissal of Woolf's social vision will not withstand scrutiny.

这段文字的大意是：弗吉尼亚·伍尔芙是一位有社会担当的人，她关注现实，但是评论家常常忽视了伍尔芙鲜为人知的这一面，因为这与人们对伍尔芙固有的印象是相违背的。人们过去认为，伍尔芙仅仅是一位小说家。

如果单从文字层面去阅读这段文字，相信对大多数 GRE 考生，甚至是对文科学生来说都是非常晦涩难懂的。且不说令人捉摸不透的段内逻辑，晦涩抽象的单词就已经让人望而却步。虽然说 GRE 考试并不考查知识背景，但是有一些背景知识的积累对理解题目意思是很有帮助的。

先仔细阅读上面这段话的黑体部分，然后看弗吉尼亚·伍尔芙的生平。弗吉尼亚·伍尔芙（Virginia Woolf, 1882~1941），英国女作家，被誉为 20 世纪现代主义与女性主义的先锋。两次世界大战期间，她是伦敦文学界的核心人物。她有一句名言：女人必须有她自己的一点收入及独立的房间。

身为女性作家，而且是女性主义小说家的代表，这两重身份使得伍尔芙成为 GRE 常考的女性作家，无论是阅读还是填空，都有伍尔芙身影的多次出现。

伍尔芙常常被描述成一位温柔、可敬、平和、优雅的女作家。但是在实际生活中，伍尔芙却有鲜为人知的一面。她年轻的时候曾被两位同母异父的哥哥性侵，父母的相继去世对她造成了极大的心理刺激。正是因为这些经历，伍尔芙常常处于一种神经质的状态，她曾经多次精神崩溃，自杀未遂。而最终，也是因为她的精神原因，导致她于 1941 年投河自尽。在日记中，她的文字常常显得非常尖刻，女性主义是她思想的核心，这也是她面对敌视女性的社会的一种反应。

如果事先了解到伍尔芙是一个以小说成名、不喜男权社会的女性主义者的话，再上面的文字是不是觉得在理解段内逻辑上会容易很多？如果你想了解更多关于伍尔芙以及文中提到的她的代表作 *Mrs. Dalloway*，可以观看电影 *Hours*（《时时刻刻》），在其中，大家熟悉的女演员 Nicole Kidman（妮可·基德曼）饰演了伍尔芙一角，并凭借此部电影斩获奥斯卡最佳女主角。

GRE 常考作家——艾米莉·狄金森

先看一道有关艾米莉·狄金森 (Emily Dickinson) 的经典填空题：

> Early critics of Emily Dickinson's poetry mistook for simplemindedness the surface of artlessness that in fact she constructed with such cunning.

📝 **翻译** 早期批评家误把 Emily Dickinson 诗歌表面的朴实无华看作是头脑简单，但其实她构建诗歌的时候是如此精心构建。

仅仅是上面的文字，我们也就只能知道迪金森写的诗看起来简单但实际上很巧妙，但究竟为什么批评家会犯这个错误呢？在这里需要通过了解她的生平来理解这个句子。

艾米莉·狄金森（Emily Dickinson, 1830~1886），美国女诗人，与惠特曼（Walt Whitman）一并被誉为美国历史上最伟大的诗人，代表作是 *Because I could not stop for Death*。

艾米莉·狄金森性格不羁，不随波逐流，有自己独立的想法和见解。她智慧而又充满人性，诗歌主要围绕"爱""自然"和"死亡"三个主题进行描写，表现了她自己不惧死亡和热爱自然的精神。而诗歌的形式独具一格，行文富有激情和活力。对她的诗歌风格，几乎所有的人都会如此评论：简练清新，但又思想深沉、富有创造力。

狄金森没有接受太多的正规教育，从二十五岁开始拒绝社交，闭门不出，在孤独中埋头写诗三十年，文学史上称她为"阿默斯特的尼姑"。她偏爱白色衣着，不愿见客，晚年时甚至不愿迈出自己房间一步。因此她与大多数朋友的友情都靠通信维系。在有生之年，她的作品未能获得青睐，然而周遭众人对她的不解与误会，却丝毫无法低损她丰富的创作天分。她的创作力为世人留下 1800 多首诗，绝大部分为她死后才得到赏识。

19 世纪评论家大都承认她的天才，但只把她看成"怪才""偏才"，而非大诗人。她的诗常常不押韵，格律不齐，她甚至被多数评论家认为是不会写诗的。

比如下面这首写给抛弃她的前男友的诗句 *I had a guinea golden*（节选）：

Grant that repentance solemn
May seize upon his mind,
And he no consolation
Beneath the sun may find.

愿深深的悔恨
攫住他的心灵，
愿他在太阳底下
永远不得安宁。

再比如她的代表作 *Because I could not stop for Death* 的第一节：

Because I could not stop for Death--

He kindly stopped for me--

The Carriage held but just Ourselves--

and Immortality.

因为我不能停步等候死神——

他殷勤停车接我——

车厢里只有我们俩——

还有"永生"同行。

诗的篇幅短小，放弃传统的标点，多用破折号，名词多用大写；常省略句子成分，有时甚至连动词也省掉。拜读过迪金森的诗歌后，再看本文开头的填空题，也就可以马上明白为什么她会被误解了。

GRE 常考作家——英国女作家群

在 GRE 考试中，文学评论文章是考试中的高频文章类型，女性题材也是经常出现。当把女性和文学这两个 GRE 考试常考考点结合起来时，会发现阅读里经常会出现女性作家，尤其是英国的女性作家。

首先从大名鼎鼎的简·奥斯汀（Jane Austen，1775~1817）说起。GRE 阅读之所以喜欢谈论简·奥斯汀，主要是因她填补了女性文学的一段空白。

在 19 世纪之前以及整个浪漫主义时代，女性文学几乎是空白的。就算进入到简·奥斯汀的时代，女性写作也被认为是一个笑话。据说当时简·奥斯汀是在有翻板的桌子上写作，听到脚步声后会连忙盖上桌面。她的写作生涯如此提心吊胆，但依然无法掩盖她的天才和对于十九世纪及之后女性文学的开创性作用。GRE 文学评论类文章中的"一姐"地位当之无愧！

与简·奥斯汀同时代，同时又是 GRE 阅读中"网红级"的女作家便是勃朗特三姐妹了。她们的名字分别是：夏洛蒂（Charlotte），艾米莉（Emily），安妮（Anne）。安妮·勃朗特名气最小。夏洛蒂·勃朗特写出了著名的《简·爱》，可是 GRE 对她一直视而不见。最受 GRE 喜爱的是写了《呼啸山庄》(*Wuthering Heights* ）的艾米莉·勃朗特。GRE 对于《呼啸山庄》的偏爱可以用这个句子来解释：

(Emily) Bronte produced a more realistic narrative, portraying a world where men battle for the favors of apparently high-spirited, independent women.

没错，上面这句归纳一个 3s 版本就是"男人听女人的"，这恰恰又是 GRE 喜欢的女权主义风格。提到《简·爱》和《呼啸山庄》，有一个女作家不得不提：弗吉尼亚·伍尔芙（Virginia Woolf）。伍尔芙与勃朗特姐妹相差近一个世纪，但是她对于这两部作品的评论留名文学史。作为 20 世纪最伟大的女性主义先锋，她对《简·爱》是批判的，对《呼啸山庄》是褒奖的。伍尔芙的思维方式与 GRE 如出一辙，这也使得她成为 GRE 阅读中的高频人物之一，如一篇长文章中所说：

> "...I want to criticize the social system, and to show it at work, at its most intense." Virginia Woolf's provocative statement about her intentions in writing *Mrs. Dalloway* has regularly been ignored by the critics.

大家可能听说过一句话："冬天来了，春天还会远吗？"这句话出自《西风颂》（*Ode to the West Wind*）。《西风颂》的作者是珀西·比希·雪莱，在 GRE 的文章中并没有出现过，反倒是他的妻子玛丽·雪莱（*Mary Shelley*）以及她的作品《科学怪人》（*Frankenstein*）在 GRE 文章里出现过一次：

> Notable as important nineteenth-century novels by women, **Mary Shelley's *Frankenstein*** and Emily Bronte's *Wuthering Heights* treat women very differently.

最后还是要强调，GRE 阅读本身不考查背景知识，但是当常考查的知识点相互联系起来时，往往可以找到一定的规律，比如 GRE 考试中的女性作家往往都是带有女权主义色彩。知道这样一些基本的背景，可以更快地把握文章主旨。

GRE 考试中，女性就是这么强大

在 GRE 考试的阅读题中，如果题目没有明确指出某个人的名字，而是给了像 CEO, playwright, governor, senator, narrator, writer, detective, spy 等职位的时候，一般会用 she/he 来指代，把 she 放在前面。这可能是出于以下两点：

①美国是一个"政治正确"（political correctness）的国家，对于女性、有色人种等群体要给予的关注和保护。比如美国黑人在考试中往往会以 "African American" 的形式出现。如果出现性别不明确的情况，往往倾向于选择女性，这是对一种出于对女性的尊重。

②增加题目难度。因为在现实生活中，这些职位大多数是男性供职，所以我们会下意识地认为这些应该用 he 来进行指代，所以如果 ETS 用 she 来进行指代，则会让在指代方面比较薄弱的同学误认为是两个不同的人而出现错误。

> 例 1 For all the tributes the new CEO has received from the press recently, her staff have a decidedly less rosy view of her.

> 例 2 The playwright's approach is startling in that her works jettison the theatrical devices normally used to create drama on the stage.

> 例 3 **The media** once portrayed the governor as anything but ineffective; **they** now, however, make her out to be the epitome of fecklessness.

从这三个例子可以发现，如果只是出现了一些职位，那么往往在后文给出对应的时候用 her 来进行指代。比如例 1 中的 the new CEO，例 2 中的 the playwright 以及例 3 中的 the governor。特别注意，例 3

中还出现了一个代词 they，这个代词和 governor 无关，而是指代前文的复数名词 the media。类似的还有在阅读中，一篇文章的作者也被默认为是女性，因此在选项中往往会用 she/he 来指代这篇文章的作者。

总结：

由于对女性的尊重和出题难度，在题目中出现一些没有指名道姓的职位时往往会选择使用女性 she/her 来进行指代。知道了这一点，大家在题目中找指代就会更加明确。

GRE 阅读中的少数族裔——Chicano

除了女性，GRE 阅读中还多次讲到美国的少数族裔（minority）寻求独立和身份认同，这一话题是少数族裔的常见话题。本篇主要给大家介绍 GRE 中经常考到的一类少数族裔——Chicano（墨西哥裔美国人）。

Chicano 一词通常可以和 Mexican American 互换，中文的意思是"奇卡诺人"，指代居住在美国的墨西哥裔美国人。在 GRE 考试中，只要涉及少数民族，通常会考查他们通过艺术品和民权运动来表达他们想要寻求民族身份、文化认同和种族骄傲，而 Chicano 便是其中的典型代表。例如：

> The revival of mural painting that has occurred in San Francisco since the 1970s, especially among the Chicano population of the city's Mission District, has marked differences from its social realist forerunner in Mexico and the United States some 40 years earlier. Rather than being government sponsored and limited to murals on government buildings, the contemporary mural movement sprang from the people themselves, with murals appearing on community buildings and throughout college campuses.
>
> Such community engagement is characteristic of the Chicano art movement as a whole, which evolved from the same foundations as the Chicano civil rights movement of the mid-1960s. Both were a direct response to the needs of Chicanos in the United States, who were fighting for the right to adequate education, political empowerment, and decent working conditions.

文章第一段主要讲 Chicano 运用视觉艺术的手法表达自己的民族独特性。在 Chicano 运用的所有视觉艺术中，文中提到的湿壁画（mural painting）是最著名的。位于加州圣地亚哥的 Chicano Park 是世界上最大的户外壁画集中地，而 Chicano Park 也是 Chicano 在美国的政治运动的产物。

而第二段则将 Chicano 的艺术表达放到了提到了民权运动（Chicano Civil Rights Movement）的背景之中。墨西哥裔美国人民权运动是 Chicano 寻求民族认同感的最轰轰烈烈的一场运动。民权运动自 1848 年美国—墨西哥战争开始兴起。在二战结束后，随着越来越多的墨西哥裔美国人退役军人的返回，他们自发成立了很多民权组织，并得到了全国上下各个阶层，尤其是学生阶层的墨西哥人的支持，民权运动在 20 世纪 60 年代达到顶峰。

而在这一时期，Chicano 的文学、视觉艺术以及音乐的兴起，都可以看作是民权运动的产物。在民权运动中，Chicano 的视觉艺术、音乐、文学、舞蹈、歌剧以及其他形式的表现手法都进一步繁荣。在整个 20 世纪，Chicano 的艺术繁荣进一步演变成了一场艺术运动（Chicano Art Movement）。Chicano 通过绘画、雕塑等艺术手法，催生了大量的艺术产物。同样，小说、诗歌、散文和剧本也都不断地涌现出来。在 Chicano 人的艺术中心，剧场、电影节、博物馆和艺术馆以及各种形式的文化组织的数量也大量增长。

Chicano 艺术发展于 20 世纪 60 年代，其艺术形式十分独特。因为受到墨西哥和美国双重文化的影响，Chicano 的艺术品有一种双文化的风格。最显著的便是 Chicano 人对于亮色的以及表现主义的使用，其中最著名的两个壁画是 Judy Baca 的 *Tujunga Wash Mural* 和 Mario Gonzales 与 Ruben Reyna 的 *La Marcha Por La Humanidad*。

总结：
虽然 GRE 会考查很多不同的少数族裔群体，但是考察的内容实质都很统一，往往都是少数民族通过艺术或民权运动来获得民族认同感。

GRE 阅读中的少数族裔——African American

African American（美国黑人）是 GRE 文章中出现频率最高的少数族裔，考试中对黑人的描写也常常集中于文章所描述对象的"特立独行"和"颠覆传统"。

请看下面这段话：

> At the turn of the century, by contrast, **most** Black poets generally wrote in the conventional manner of the age and expressed noble, if vague, emotions in their poetry. These poets were not unusually gifted, though **Roscoe Jamison and G. M. McClellen** may be mentioned as exceptions. They chose not to write in dialect, which, as Sterling Brown has suggested, "meant a rejection of stereotypes of Negro life," and they refused to write only about racial subjects.

特征对比

most 多数黑人诗人	Roscoe Jamison 和 G. M. McClellen 两个特殊诗人
conventional	rejection of stereotypes
not unusually gifted	exceptions

3s 版本 大多数黑人诗人循规蹈矩，但是有两位拒绝传统，特立独行。

总结 从这段话可以看出，尽管本段的主要目的是去说明世纪之初的黑人诗人大多数都是循规蹈矩的，但还是提到了两个拒绝传统，有所创新的黑人诗人。

再看这段话：

> When speaking of Romare Bearden, **one** is tempted to say, "A great Black American artist." The subject matter of Bearden's collages is certainly Black…
>
> Then why not call Bearden a Black American artist? This categorization is too narrow. "What stands up in the end is structure," **Bearden** says. "What I try to do is amplify…But art amplifies itself to something universal."

特征对比

他人对 Bearden 的观点	Bearden 自己的观点
a great Black American artist	a Black American artist
subject matter certainly Black	categorization is too narrow; amplify

3S 版本 第一段：他人认为 Romare Bearden 是一个黑人艺术家。第二段：Romare Bearden 认为自己不仅仅是一个黑人艺术家。

总结 通过他人的看法以及 Romare Bearden 自己对自己的判断之间构成的鲜明对比，可以发现 Romare Bearden 是一个颠覆大众观点的黑人代表。

以上两个例子生动地展现出在 GRE 考试中出现黑人类型的题材经常会体现出其"特立独行"和"颠覆传统"，而这样做的目的也是为了去发掘本民族的认同感。

GRE 阅读中的少数族裔——Indian

GRE 考试中最常出现的少数族裔，除了 Chicano 和 African American 之外，还有就是 Indian（印第安人）了。这里所说的 Indian 并不是印度人，而是指居住在美洲大陆的原住民，也可以说成是 Native American。

作为美洲大陆上的原住民，印第安人的历史要比美国历史久远。但是，从 16 世纪开始，印第安人的历史就是一部血泪史。从 16 世纪以来，美国印第安人的人口数量就在急剧下降。在 16 世纪到 18 世纪，美洲大陆上爆发的瘟疫使得印第安人大量死亡。到了 18 世纪 70 年代，独立战争之后成立的美利坚合众国继续扩大自己的土地用于农业种植和居住。因此，为了从印第安人手中得到更多的土地，美国开国总统乔治·华盛顿便采取了"教化"的手段，通过教育印第安人来达到将印第安人同化为美国白人的目的。在这种"教化"的过程中，印第安人渐渐地被边缘化，自己本民族文化也在这一过程中渐渐地消失了。

到了 1830 年，时任总统 Andrew Jackson 成功签署了印第安人迁移法案（*Indian Removal Act of 1830*），迫使印第安人向西迁移了超过 45,000 人。在这漫漫的西迁之路上，近 1/4 的印第安人在寒冷、饥饿和疾病的折磨下，最终失去了生命。所以印第安人给这条西迁之路起名为"血泪之路"（Trail of

Tear）。之后的 1876 年，Ulysses S. Grant 通过印第安拨款法案（*Indian Appropriations Act*）建立了印第安人保留地。在保留地内，印第安人部落拥有相对的自主权，有自己的法律。

关于印第安人部落保留地，GRE 阅读中有如下例句：

Smith fails to recognize that this division of power between the tribal chiefs and shamans was not actually rooted in Iroquois tradition; rather, it resulted from the Iroquois' resettlement on reservations early in the nineteenth century.

翻译 Smith 没有意识到部落酋长和 shamans 之间权利的分配并不来源于 Iroquois 的传统；相反，它是 19 世纪早期 Iroquois 在保留地重新定居的结果。

在上面的片段中，作者认为在 Iroquois 部落中，部落酋长和萨满之间的分工是由在保留地的重新定居所造成的。由此可见，保留地制度对于印第安人部落产生了较为深远的影响。文章中所提到的 Iroquois 是美国印第安人中的第八大部落。

在 GRE 文章中，还有一个部落——Cherokee——也会被提到，而 Cherokee 是美国人口数量排名第二的印第安人部落。例如：

For example, Pulitzer-prizewinning author N. Scott Momaday's poetry often treats art and mortality in a manner that recalls British romantic poetry, while his poetic response to the power of natural forces recalls Cherokee oral literature.

翻译 例如，普利策奖获得者 N. Scott Momaday 的诗歌通常用让人回忆起英国浪漫主义诗歌的方式来处理艺术和死亡，而他对于自然力量诗意一般的回应让人想起 Cherokee 口头文学。

这一片段所在的文章主要讲述的是印第安人如何将自己的文学同美国白人文学进行融合。这一融合过程也成为印第安文艺复兴（Native American Renaissance）的一个重要特征，同时也是印第安人文化被同化的一个例子。

不过，近来增加了印第安人在美国政治领域的话语权成为美国人恢复印第安人权力的手段之一。例如：

Analyzing levels of proportional representation of American Indians in state and local government jobs is important for several reasons.

翻译 分析美国印第安人在州政府以及当地政府工作中的比例代表水平是非常重要的，因为以下原因。

总结：
文化同化、保留地和扩大政治权利是在 GRE 中常考查到的关于印第安人的三大要素。以后读到和印第安人有关的文章，可以从这几个角度进行考虑和分析。

阅读中邂逅拉丁语

在 GRE 阅读这种高水平的学术文章中，为了增强用词准确性与学术文章的严谨性，文章经常会出现拉丁语单词。拉丁语在英文世界中的地位就像古汉语在中文世界里的地位。在说英文的时候能说出一两句拉丁语或法语是一个人接受过高等教育、有身份地位的表现。

1. per se [pə:'sei] 本身，本质上

释义 Per se means **"by itself"** or "in itself", and is used when you are talking about the qualities of one thing **considered on its own**, rather than in connection with other things.

例句 Monkey groups therefore see to be organized primarily to maintain their established social order rather than to engage in hostilities per se.

翻译 就猴子群体本身而言组织是为了维持既有的社会结构而不是为了采取敌对行为。

2. status quo ['steitəs 'kwəu] 原状，现状

释义 The status quo is the **state of affairs that exists at a particular time**, especially in contrast to a different possible state of affairs.

例句 This "self-sterilizing" capacity of the skin results from the tendency of all well-developed ecosystems toward homeostasis, or the maintenance of the status quo.

翻译 皮肤的"自我净化"的能力源自于所有成熟的生态系统倾向于达成动态的平衡，或者说这种净化能力源自于对于现状的维持。

3. vice versa [,vaisi'və:sə] 反之亦然

释义 Vice versa is used to say that the **opposite of a statement is also true**.

例句 In all flatfish the optic nerves cross, so that the right optic nerve is joined to the brain's left side and vice versa.

翻译 所有比目鱼的视觉神经都是交叉的，所以右眼的神经接连左脑，反过来左眼神经也连接右脑。

4. circa (ca., c.) ['sɜ:kə] 大约（与日期连用）

释义 Circa is used in front of a particular year to say that this is the **approximate date** when something happened or was made.

例句 Nevertheless, perhaps the most sensible approach to this issue is to define the school by the period (ca. 1766–1873) during which it flourished.

翻译 然而，解决这个问题最明智的方法是按照它繁荣的年代（约 1766~1873）来定义学派。

5. versus (vs, v.) ['vɜ:səs]（在法庭上）…诉…

释义 Versus is used in a court of law to indicate that two people or organizations are **involved in a law suit**. The abbreviation v is also used.

例句 The passage suggests that the principal effect of the state action limitation was to influence the Supreme Court's ruling in Brown v. Board of Education.

翻译 这篇文章提到对于州行为限制的最主要效果是影响了最高法院在"Brown 诉学校董事会"案中的判决。

6. a priori (apriori) ['eiprai'ɔːrai] 由原因推及结果的，想当然的

释义 An a priori argument, reason, or probability is **based on an assumed principle or fact**, rather than on actual observed facts.

注释 本词前边的字母 a 并非是表单数的不定冠词，因此本词非常有趣的一点是尽管前面有字母 a，但后面依然可以跟复数名词。比如 a priori assumptions。

7. bona fide [bəunə'faidi] 真实的

释义 If something or someone is bona fide, they are **genuine** or **real**.

例句 We are happy to donate to bona fide charitable causes.

翻译 我们很乐意向真正的慈善事业捐赠。

8. Curriculum Vitae (CV) 履历，简历

注释 curriculum 本身表示"课程"的含义，vitae 一词可以与 vital（生命的）产生联系，因此 vitae=life。所以 CV=courses of your life。你一生上过的课程当然就构成了你的履历。

9. *ad hoc* [æd'hɔk] 特别的，临时特设的

释义 concerned with a **particular end** or purpose

例句 an *ad hoc* investigating committee

翻译 一个专门的调查委员会

除了上面这些在考试中经常遇见的拉丁语之外，一些很常见的缩写也是来自于拉丁语：

拉丁文缩写	全拼形式	中文释义
e.g.	exempli gratia	例如
et al	et alii	以及其他人
etc	etcetera	等等
i.e.	id est	也就是说

如果想了解更多拉丁语和法语的表达，可以阅读《GRE 高分必备短语搭配》和《GRE 核心词汇考法精析（第 2 版）》。

阅读中不只有拉丁语，还有法语

上一篇文章介绍了英语中拉丁语的使用，一方面是学术精准性的要求，另一方面也是出于地位身份的炫耀。英语中还有一种外来语，就是法语。很久以来，法语都被认为是贵族的语言，直到今天，法语的高贵地位还会在某些社交场合中有所体现。比如英国王室至今都会把法语作为外交场合的交流语言。

因为在 13 世纪到 15 世纪，英国一直被法国人占领，所以当时有大量的法语进入英国人的生活。现在，英文中大概 30% 的单词来自于法语。GRE 考试中也有大量的法语单词，比如 repertoire 和 oeuvre，可以说它们是广义上的同义词，一个表示"全部节目"，一个表示"全部作品"，都是"大量内容"的体现。

1. repertoire ['repətwɑ:]

- **考法**   *n.* 全部节目 **all** the plays, pieces of music etc that a performer or group knows and **can perform**
- **例句**   The chef's repertoire of specialties seems to be limited. 这个厨师的所有拿手好菜看来是很有限的。
- **GRE**   In further experiments on song sparrows, researchers found that when exposed to a single song type repeated several times or to a **repertoire** of different song types, females responded more to the latter. 在对北美歌雀（sparrows）的进一步研究中，研究者发现当雌鸟多次接触一种重复的歌曲或者接触一连串不同的歌曲，它们对后者回应更多。

2. oeuvre ['ə:vrə]

- **考法**   *n.* 全部作品 the **sum of the lifework** of an artist, a writer, or a composer
- **例句**   the oeuvre of Van Gogh 梵·高的毕生之作
- **GRE**   Other artists now less appreciated for their **oeuvres**, such as Cennino Cennini, are of greater value to modern historians for their written than for their painted output. 其他的艺术家，比如 Cennino Cennini，尽管他们现在更少因为其毕生之作而被赏识，但是相比于他们的画作，他们的写作对于当代历史学家有更大的价值。

除了这两个词之外，还有一些常见的法语词：

memoir	*n.* 回忆录，传记	reservoir	*n.* 水库；储藏
genre	*n.* 体裁，风格，流派	avant-garde	*n./adj.* 先锋派（的）
blasé	*adj.* 厌倦享乐的，腻烦的	cliché	*n.* 陈词滥调
éclat	*n.* 辉煌成就	hauteur	*n.* 傲慢
bourgeois	*adj.* 资产阶级的		

什么是 GRE 题源

所谓题源，就是 GRE 填空和阅读题目的来源，是作为 GRE 题目素材最为偏爱的文段。在某种程度上，甚至可以说"题源 = 原题"。请看下面的例子：

【题源】A natural *concern* is that a deeper understanding of the brain will equate to <u>exculpation</u>. If free will isn't what we imagined it to be, but instead depends on your genetics, environment and neural circuits, shouldn't everyone be <u>let off the hook</u>? But these *concerns* are misplaced. We will continue to take violators of social norms off the streets; we will still assign values right and wrong to behaviors. Instead, the change will be in the refinement of our sentencing.

翻译 我们有一个本能的担忧，担心对大脑更深入的理解会等于对罪名的开脱。如果自由意志不是我们所想的那样，而是依赖于你的基因、环境和神经回路，那我们不就可以免受指责、避免麻烦了吗？但是，这种担心并不必要。因为我们依旧会惩罚违法分子，我们依旧明辨是非。相反，变化的是我们对于判决制度的改进。

1. 重要词汇

① natural *adj.* 本能的，天生的 used to describe behavior that is part of the character that a person or an animal was born with

例句 It's only natural to worry about your children. 为孩子操心是很自然的。

② exculpate *vt.* 宣布无罪，使开脱 to clear from alleged fault or guilt

例句 The court exculpated him after a thorough investigation. 法院经过深入的调查后宣判他无罪。

③ refinement *n.* 改进，改善 a small change to sth. that improves it

例句 This particular model has a further refinement. 这一款是又有了进一步的改进。

④ sentence *v.* 判决，宣判 to say officially in court that sb. is to receive a particular punishment

例句 The criminal is to be sentenced to life imprisonment. 罪犯被判终身监禁。

2. 句子难点

① a natural concern

"a natural concern"的意思明显不是"一个自然的关注"。第三句出现了转折词 But 并且提到了 concern，那证明 But 前后 concern 的感情色彩变了。But 之前 concern 的是开脱罪名，不负责任；But 之后 concern 其实不对，还是继续惩罚坏人。所以，concern 指的是对不负责任的担忧。

② let sb. off the hook

第一句中的 exculpation 和第二句话中的 let off the hook 相等。

釋義 使摆脱困境，使逃离惩罚 to **free** yourself or sb else **from a difficult situation** or a punishment

例句 There is no way he should be let off the hook so easily. 绝不能让他这么容易就推卸责任。

③ take sth./sb. off the streets

这种表达字面翻译是"使违法分子远离街头"。在阅读中直接就理解为"惩罚"或者"禁止"即可，于是 take sth./sb. off the streets 就可以理解为"惩罚坏人"。

GRE 试题的题源一般出自诸如 *The New York Time, The New Yorker, The Economist* 等知识分子经常阅读的外文期刊或者学科中的专业论文、专著。虽然题源的素材十分珍贵，对于提升阅读实力也有很大帮助，但是不得不说，对于大多数同学来说，题源的阅读难度太大了。有时在题目中，对题源进行一些改写，这也是为了使文段更符合出题要求。

从题源中感受出题方的"浓浓善意"

GRE 考试中大多数的填空题都能够在一些报纸、杂志、小说或者是学术论文中找到对应的原文。设置填空题目的时候，不是直接把原文进行照搬挖空出题，而会根据 GRE 的逻辑对题源稍加改变，理顺其中的逻辑，展现出"浓浓善意"。

请看下面的例题：

答案 CD

解析 方程等号：therefore 因果关系，同义重复。

强词和对应：前文描述金星和火星有着相似的构成方式，similar 指向空格，取同，体现金星和地球地表特征之间的"相似性"。consequences 和 outcomes 都表示结果，parallels 和 counterparts 表示"类似物"，功能义就是"相似"，causes（原因），properties（特性）。正确答案为 CD。

选项分析：

counterpart：someone's or something's counterpart is another person or thing that has a **similar** function or position in a different place. 对应物

parallel：if something has a parallel, it is **similar** to something else. 类似的事情

翻译 因为金星和地球的质量和密度是如此的相似，Mueller 认为这两个星球有着相似的构成，并且因此金星的表面特征必然在地球表面有着类似之处。

下面是这道填空题的题源：

Effect of Temperature on the Strength and Composition of the Upper Lithosphere of Venus, Nature

❶ Given the similarities of the radii and densities of Venus and Earth, it is a reasonable assumption that the two planets have similar overall compositions. ❷ Although the upper lithosphere of Venus should therefore have evolved in a manner roughly parallel to Earth's upper lithosphere, it is interesting to consider what modifications may have been imposed on this evolution by the high temperatures.

第 1 句话解释金星和地球之间是相似的。第 2 句话描述尽管金星的上层岩石圈应该和地球的上层岩石圈有着类似的演化方式，但是去考虑高温对这种进化带来了什么改变（modification）是很有意思的，也就是说它们是不同的。

GRE 中强调的句间关系，句号前后两个句子在意思上同义重复。而句号也是表示句间同向的重要提示。但是，在题源中句号前说相同，句号后说不同，这是不符合 GRE 出题逻辑的，因此碰到此类情况会对这种题目信息进行修改，例如在 although 前可以加表示句间转折的词例如 However, But 等。

再看一个修改前后对比的例子：

【题目】

The usual rationale for spending public monies on scientific projects is that such projects have the potential to make our lives healthier, safer, and more productive. <u>However</u>, the fact that science—even "pure" science—can strengthen democracy and promote public participation in the political process is hardly ever mentioned. It should be Scientific literacy energizes democracy, and this is an important ancillary benefit of the promotion of science.

【题源】

The usual rationale for spending public monies on scientific projects large and small is that they have the potential to make our lives longer, healthier, safer, happier, more productive, more pleasant. (<u>However</u>?) That science, even "pure" science, can strengthen democracy and promote public participation in the political process, both in the United States and throughout the world, is hardly ever mentioned. It should be. Scientific literacy energizes democracy, I suggest, and this is an important ancillary benefit of the promotion of science. Can this proposition be defended? I'd like to try.

题源中却没有题目中的 However 一词。按理说句号前后是同向，而题源中第一句话说在一些科学项目上花费公众的钱合理是因为它让我们的生活更加健康和安全，但是后面一句话却说科学对民主的作用没有被提到，前后两句话明显出现了转折的意思。因此，修改后在原题的基础上增加了转折词 However，使得前后的逻辑更加清楚。

通过上面两个例子可以发现，出题方不会直接把原文拿来就用，而是会按照 GRE 考试的要求，对这些文段进行相应的修订，使之更符合 GRE 的风格。

同时，这些例子也提示大家，在备考的初期，由于实力不足，在没有人指导的情况下，如果直接用题源来进行泛读练习，会导致备考难度的增加，自信心也会受到打击。

如何恰当称呼外国人

在日常的学习和生活中，我们常常会遇到这种问题：给教授发邮件时，是应该称呼其全名、姓氏还是职位？读小说时，长长的外国人名该怎么才能对得上号？我们常常称呼 Kobe Byrant 为 Kobe，而称呼 David Beckham 为 Beckham，这又是为什么？

为了解决以上种种困惑，本篇从学术和生活两个角度介绍应该如何恰当地称呼外国人。

1. 学术方面

有这样一道填空题：

> Of course anyone who has ever perused an unmodernized text of Captain Clark's journals knows that the Captain was one of the most defiant spellers ever to write in English, but despite this disregard for orthographical rules, Clark is never unclear.

有同学不理解，为什么 Captain Clark 这个人在第二行中被称为 the Captain，在第三行中又变成了 Clark？要回答这个问题我们要回到欧美人起名的原则上来。

通常而言，欧美人的名称由名字（given name 或 first name）加姓氏（surname, family name 或 last name）构成。少数情况下还要在姓的后面加一个后缀，例如《钢铁侠》男主角 Robert Downey Jr.，这是因为孩子和长辈姓名一样，所以要加一个 Jr. 表示 junior，翻译过来就是"小罗伯特·唐尼"。值得注意的是姓氏不一定只有一个单词，和中国的复姓一样欧美人的姓也可以拆开的，例如荷兰球星范佩西全名叫 Robin van Persie，这里 van Persie 就是姓氏本身。

而在学术阅读中，如果出现人名，第一次出现必然是其全名，之后出现一般是他的 last name。这条规则可以用来定位，起到了雷达的作用。因为外国人名字一般都比较长，所以，无论是做学术阅读还是在生活中读小说，只需要记住他的 last name，这样就可以大大减轻了记忆负担。

但为什么这句话里面，第二次出现用的却是 the Captain？这是一种特殊情况，在公开的正式场合和面对地位比较高的人士，用 title(大写)+ 姓。例如《生活大爆炸》中的 Sheldon 要去某个学校做讲座，那么介绍的时候一定不会用 Sheldon，而是说 Dr. Cooper。这里有一个有意思的现象，美国的本科生称呼教授一般都会用 Prof.+last name，而研究生往往直接称呼 first name，因为研究生阶段师生之间更多的是合作关系，相应的等级概念要被削弱很多。

GRE 考试都是书面语言，所以最后一句 Clark 就是他的 last name。那 Captain 是什么意思呢？一般解释为队长（如"美国队长"Captain America）、船长、军队里的上尉（陆军）或者上校（海军），是一个头衔，所以这里可以翻译为"克拉克队长"。而且注意第二行的 Captain 之前有一个定冠词 the，这意味着此处的 Captain 特指前面说过的那个 Captain Clark，而不是其他 captain，这种使用 title 的做法也是符合规范且很常见的。举一个更贴近生活的例子：

> Although Prof. Jacobson never explicitly forbids the use of laptops and cellphones in his class, anyone who uses electronic devices will be questioned by the Professor in person.

这句话的意思是说"尽管 Jacobson 教授从来没有明确禁止在他的课堂上使用电脑和手机，但他都会私下里去询问任何使用电子设备的学生。"

Captain Clark 其实是美国西部大开发时代的杰出探险家，他和 Meriwether Lewis 一道进行了为期 28 个月的远征，这是美国国内首次横越大陆西抵太平洋沿岸的往返考察活动，后人称之为 Lewis and Clark Expedition。美国第一部关于西部的文学巨著《刘易斯和克拉克日志》就是由此而来的。

因此，在 GRE 填空、阅读和未来的学术生活中见到外国人的名字，第一次出现一定是全名，之后出现基本就是 last name，这样可以大大减轻记忆负担，迅速找到相应的指代人物，帮助完成题目。

2. 生活方面

除了学术上的规范之外，还有一些生活上面的例子：

① 欧美人的名字都是名在前，姓在后，但在部分要按照 last name 首字母排序的场合，也可以把姓放在首位（通常全部大写），名放在后位，中间加一个逗号。例如在大学的花名册上张三的名字就会变成 ZHANG, San，李四是 LI, Si。但这种写法的使用不是很广泛，一般签名写简历之类的也都不会用到。

② 双方是熟人，可以直接称呼 first name。但初次认识打招呼时出于礼节通常会把 last name 也加上。

③ 有的时候选择用哪个部分来做指代，还得考虑名字辨识度和记忆难度：

> Entering Sunday's game against Minnesota, Kobe has 32,284 points, 8 behind Michael Jordan for third place on the career scoring list.

这里有同学会有疑问，为什么中文的"科比"是他的名（Kobe Bryant），而贝克汉姆（David Beckham）、詹姆斯（LeBron James）却是称呼姓呢？答案是考虑名字的辨识度，一方面名字不能太常见（例如 David），另一方面也不能太难记忆，科比比布莱恩特读起来更朗朗上口。

ETS 怎么写"火星文"

做 GRE 阅读文章时会发现火星是一个出镜率很高的话题。关于火星，GRE 考查过它的引力大小、表面特征、火星的形成以及气候。如果对这些惯常的考查对象的一些背景有所了解，会克服一些对这个话题的恐惧感，并且对这类文章的套路有一个大致了解。

下面介绍火星常考的两个方面——引力与表面特征。

1. 引力

太空中乱飞的石头被地球的引力所捕捉就形成了流星雨。小的流星在坠落的过程中被燃为灰烬，而大一点的流星落在地球上，成了科学家们的研究对象，也成了 GRE 的考查对象。

在《GRE 阅读白皮书》中有一篇文章探讨的是 shergottites（无球粒陨石）的来源。下面是这篇长文章的节选：

> Shergottites exhibit properties that indicate that their source was a large planet, conceivably Mars. In order to account for such an unlikely source, some unusual factor must be invoked, because the impact needed to accelerate a fragment of rock to escape the gravitational field of a body even as small as the Moon is so great that no meteorites of lunar origin have been discovered.

这段的大意就是想要说 shergottites 是起源于火星的，但是最后却证明火星不是起源。而证明的过程，便是利用了火星的引力。

首先这篇文章说 shergottites 是从某个太阳系的行星身上弹射出去的。既然是要射出去，那么就需要有足够大的冲击力使陨石摆脱母星的引力束缚。而上面节选的段落，则是将火星和月亮进行类比，月亮的引力束缚已经很大了，那么质量更大的火星的引力束缚只能更大，因此火星身上弹不出陨石。

这篇文章的最后说道：

> A recent study suggests, that permafrost ices below the surface of Mars may have altered the effects of impact on it. If the ices had been rapidly vaporized by an impacting object, the expanding gases might have helped the ejected fragments reach escape velocity.

本段大意就是，虽然火星的石头弹不出去，但是火星的表面有冰，发生撞击的时候，冰会迅速气化，起到助力的作用，将石头弹射出去。

2. 地表特征

尽管地球的地表可以用"千沟万壑"来形容，但是与火星相比的话，地球平得像个飞机场。火星最深的峡谷——水手号峡谷，最深处达 8 公里。而地球上最深的峡谷——雅鲁藏布江大峡谷，最深处只不过 5.4 公里。火星最高的山——奥林匹斯火山，是目前太阳系已知的海拔最高的火山，高达 25 千米，相当于三个喜马拉雅山的高度。火星如此"凹凸有致"的身材，自然成了 GRE 探讨的重要对象。下面是考试中出现过的一段话：

> The third possibility is that the northern lowlands result from impacts. Some researchers suggest they formed as a series of big overlapping impact craters. Others arguing that the odds against such a pattern of impacts are large, postulate a single event—the impact of an object bigger than any asteroid the solar system now contains.

这段话的大意是火星北部低洼地带是因为撞击形成的。而撞击又有两种可能，一种是不断地撞击进行重叠，形成一个巨大的低洼地带；另一种则是由一个大的史无前例的小行星一下子撞击形成的。

以上就是我们对于"火星"这个 GRE 阅读中常考话题中两个侧面的讲解，希望能帮助同学们克服对天文学陌生话题的恐惧感，从而在平时的练习和考场中从容淡定，攻克难题。

那些与 Martin Luther King 有关的战争与运动

在正文开始之前，先来看一个曾经难倒无数 GRE 备考者的阅读段落：

Martin Luther King's role in the antiwar movement appears to require little explanation, since he was the foremost advocate of nonviolence of his time. But King's stance on the Vietnam War cannot be explained in terms of pacifism alone. After all, he was something of a latecomer to the antiwar movement, even though by 1965 he was convinced that the role of the United States in the war was indefensible. Why then the two years that passed before he translated his private misgivings into public dissent? Perhaps he believed that he could not criticize American foreign policy without endangering the support for civil rights that he had won from the federal government.

🖉 **翻译** Martin Luther King 在反战运动中扮演的角色看起来是不需要任何解释的，因为他是他那个年代反战运动最重要的倡导者。但是 Martin Luther King 在越南战争上的立场不能仅仅被解释成和平主义。毕竟，他是反战运动的后来者，即使在 1965 年之前他已经确信美国在越南战争中所扮演的角色是不合理的。为什么他将个人的担忧转换为公开的不满这一过程花了两年？可能是他认为批评美国的外交政策会危及他从联邦政府那里得到的对于民权运动的支持。

🖉 **3S 版本** Martin Luther King 反对越战的原因不仅仅是出于和平主义，而是另有他因。而这里所谓他因就是他在纠结是否放弃从美国政府那里得来的对于民权运动的支持。

这篇文章的困难之处在于文中所描述的 Martin Luther King 的形象与我们记忆中的迥然不同。文中的 Martin Luther King 不再是 *I have a dream* 演讲中慷慨陈词的民权运动家，而是为不失去美国政府的支持而将反战运动拖延了两年，获得自己所需资源之后才公开反对美国政府。所以，如果可以弄清楚文中"越南战争（Vietnam War）""反战运动（Anti-war Movement）""民权运动（Civil Rights Movement）"以及 Martin Luther King "纠结"的原因，将有助于对本文的理解。

1. 越南战争（Vietnam War，1955~1975）

越南战争是指发生在 1955 年至 1975 年间冷战中的重要局部战争，最后美国在越南战争中失败。越南人民军和越南南方民族解放阵线最终推翻了越南共和国，统一了越南全国。

2. 反战运动（Anti-war Movement）

随着越南战争的持续升温，公众的不满情绪越来越强烈，不同的群体加入了反战游行的队伍之中，包括学生、艺术家、女性、神职人员、社会组织和黑人。其中披头士组合中的著名歌手约翰·列侬就大声疾呼"给和平一个机会"，引起了世人对于反战运动的极大关注。

但黑人在战争的初期因为忠于约翰逊总统推动民权法案而不敢加入到反战运动当中。与反战运动同期进行的还有美国黑人民权运动。

3. 美国民权运动（Civil Rights Movement，1955~1968）

美国黑人反对种族隔离与歧视，争取民主权利的群众运动。

过程简介：1955 年 12 月 1 日，亚拉巴马州蒙哥马利城黑人罗莎·帕克斯在公共汽车上拒绝让座给白人，被捕入狱。因为她的被捕还引发了蒙哥马利巴士抵制运动（Montgomery Bus Boycott）。在青年黑人牧师马丁·路德·金的领导下，全城 5 万黑人团结一致，罢乘公共汽车达一年之久，终于迫使汽车公司取消种族隔离制。1963 年 8 月 28 日，马丁·路德·金发表著名演讲《我有一个梦想》（*I have a dream*）将民权运动推向了高潮。另外，有些城市黑人还开展以暴力对抗暴力的斗争。1964 年迫使林登·约翰逊总统签署了《民权法》（*Civil Rights Act*）。

有很多同学会把 Civil Right Movement 和 Civil War 混淆，那么 Civil War 又是什么呢？

4. 美国南北战争（American Civil War，1861 年 4 月 12 日 ~ 1865 年 4 月 9 日）

参战双方为北方美利坚合众国（格兰特将军）和南方的美利坚联盟国（李将军）。战争最终以北方胜利告终。战争之初本为一场维护国家统一的战争，后来演变为一场为了黑奴自由的新生而战的革命战争。

1860 年主张废除奴隶制的林肯当选总统，南方奴隶主发动叛乱。南方蓄奴州纷纷独立，于 1861 年 2 月组成邦联政府。同年 4 月南方邦联军先发制人攻占萨姆特要塞，内战爆发。

1865 年 4 月 9 日，李将军的部队陷入北方军队的重围之中，被迫向格兰特请降。南北战争终止。美国恢复统一。

5. 女权运动（the Feminist Movement）

女权运动，又被称为妇女解放运动（the Women's Liberation Movement）、女性运动（the Women's Movement），指一系列针对生育权（reproductive rights）、家暴（domestic violence）、产假（maternity leave）、男女同工同酬（equal pay）、女性投票权（suffrage）、性骚扰（sexual harassment）以及性暴力（sexual violence）等女性切身利益问题的运动。

女权运动开始于 19 世纪的西方世界并且经历了三股浪潮。第一波浪潮起源于中高产阶级白人女性，包括投票权和政治平等。第二波则是针对社会和文化上的不平等。第三波则继续针对财政、社会和文化的不平等，同时女性在政治和媒体中的影响力逐步扩大。

GRE 考试是怎么"毁"掉这些音乐大师的

GRE 考试为了增加题目难度，常常会在背景知识上做文章。这并不是在说出题方会刻意考查考生的背景知识，而是利用考生已有的背景知识，在考试中出一些与预设的情形不一致的文章或题目，导致很多考生面对这种文章或者题目时，可能会因为依照积累的背景知识来做题，导致自己的理解与文章背道而驰。

本篇通过介绍 GRE 考试的高频话题——Classical Music（古典音乐）各个时期的主要特征、代表人物，来看考试是如何利用它们来创造与预设的情形不一致的题目的。

1. 巴洛克时期（1450~1600）

这一时期的音乐主要服务的是皇室成员，目的是满足皇室成员的娱乐，所以听起来有一种华丽的感觉，这也是为什么 baroque 一词在 GRE 中的考法是"奢华的"原因。这一时期的代表人物是巴赫（Bach）。尽管巴赫在今天的古典乐坛享有盛名，但是在 GRE 文章中巴赫的名字也只是起到一个陪衬的作用。比如在下面的例子中：

> Landowska demonstrated how the keyboard works of Baroque composers such as **Bach**, Handel, Scarlatti, and Couperin probably sounded in their own times.

这句话中主要为了强调 Landowska 这个人的演奏风格，Bach 只是与其他同时代音乐家并列到了一起，充当了陪衬的作用。

以 Bach 为代表的巴洛克时期的音乐，旋律往往非常简单。而海顿（Haydn）创作了 *Symphony in G major No. 94, "Surprise"*（《惊愕交响曲》），开启了西方音乐的古典主义时期。

2. 古典主义时期（1750~1820）

这一时期在 GRE 文章中常出现的人物是莫扎特（Mozart）和贝多芬（Beethoven）。

莫扎特是个天才，但在 35 岁英年早逝。他一生坎坷，但是他的音乐却总能给人带来快乐的感受。GRE 的题目给予了他很高的评价，比如：

> **Mozart**'s *The Marriage of Figaro* is surely among the masterpieces of music.

贝多芬是海顿的学生。他的代表作有《致爱丽丝》和《欢乐颂》，但是出题方对他的评价却和大家以往的理解相悖。请看下面的例子：

> A close study of his compositions reveals that **Beethoven** overturned no fundamental rules. Rather, he was an incomparable strategist who exploited limits—the rules, forms, and conventions that he inherited from predecessors such as Haydn and Mozart, Handel and Bach—in strikingly original ways.

本文作者认为贝多芬并没有突破音乐传统的限制，只是前辈们的继承者。这段话中值得注意的一点是最后一句，文章把 Haydn 和 Mozart 放到了一起，把 Handel 和 Bach 放到了一起。这么处理其实也体现出了这四个人的流派分类。Haydn 和 Mozart 都是古典乐派，Handel 和 Bach 则是巴洛克时期的音乐家。有了这些基本的背景知识就更能深入地理解 GRE 文章了。

3. 浪漫主义时期（1820~1900）

这一时期的音乐家群星璀璨，风格多种多样，旋律复杂精美。门德尔松则是浪漫主义时期最具代表性的人物之一，但 GRE 考试题目对他的评价是"小家子气"：

> **Mendelssohn**, as a composer, was a "minor master ... working on a small scale of emotion and texture."

作者将门德尔松评价为一个小家子气的"小大师"。

虽然了解文章背后的背景知识在某些情况下可以更好地把握、理解题目，扫清对陌生话题的恐惧，但是在做题目时，第一优先级考虑的一定是文章、题目本身所传达的含义，在此基础上，警惕出题方与预设情形相悖的评价，并借助一点点背景知识，才能让 GRE 阅读做得又快又好。

GRE 考试中的全球变暖

做过大量 GRE 阅读题目的考生会发现阅读文章题材的选取是有一定规律的。关于 GRE 阅读内容的规律，最常见的是出现与预设的情形不一致的文章或题目，下面来介绍环境保护的话题。

通常大家会认为现在的地球正在经历全球变暖，而这种全球变暖的趋势在人类进入到工业化之后才有了显著的加剧。但是在 GRE 阅读文章中，用大量的证据、实验和严密的逻辑来宣称——全球变暖不是人类的错。

请看下面的例文：

> Some climatologists argue that the burning of fossil fuels has raised the level of CO_2 in the atmosphere and has caused a global temperature increase of at least 1℃. But a supposed global temperature rise of 1℃ may in reality be only several regional temperature increases, restricted to areas where there are many meteorological stations and caused simply by shifts in the pattern of atmospheric circulation. Other areas, for example the Southern Hemisphere oceanic zone, may be experiencing an equivalent temperature decrease that is unrecognized because of the shortage of meteorological recording stations.

翻译 　一些气象学家认为，化石燃料的燃烧使得大气中 CO_2 浓度升高，并且使得地球气温上升了至少 1℃。可是假定地球气温上升的 1℃ 可能实际上**只是几个区域的气温增加**，这个增加量被限制在气象站众多的区域，并且只由大气环流模式的变化引发。其他地区，例如南半球的大洋区，可能在经历着**未被人们发现的相同温度的降低**，这是由于气象记录站的短缺。

从这段文字可以看出，我们之所以会认为人类活动导致全球气温上升，是因为人类活动集中在北半球，同时北半球气象站数量很多，于是这种温度上升便被记录下来了，而南半球有可能经历着温度的下降，但是南半球气象站少，这种下降没有被记录下来。

再看一段文章：

> If ongoing climate-history studies support Bond's hypothesis of 1,500-year cycles, scientists may establish a major natural rhythm in Earth's temperatures that could then be extrapolated into the future. Because the midpoint of the Medieval Warm Period was about 850, an extension of Bond's cycles would place the midpoint of the next warm interval in the twenty-fourth century.

翻译　如果正在进行的气候历史支持了 Bond 的 1500 年气候循环假说，那么科学家就有可能确立一个重要的地球气温规律，而这一规律可以被用于预测未来的温度。因为中世纪暖期的中点大约是 850 年，因此对于 Bond 的气候循环假说的拓展就会把下一次暖期的中点放置于 **24 世纪**。

从这段文字可以看出，ETS 认为全球气候的冷热交替是存在一个循环周期的。这一周期是 1500 年。而根据历史记载，上一次地球的温暖期是公元 850 年，因此根据 1500 年的循环周期，下一次温暖期应该是 850+1500=2350 年，处于二十四世纪。因此认为全球变暖与人类活动无关，而是地球气候周期性发展的必然阶段，只是这一阶段的变暖恰好被人类赶上了而已。

这种"唱反调"的表达体现了 GRE 考试的批判性思维，并增加了考试的难度。

一张表搞定 English，England 和 New England

不少同学觉得 English，England 和 New England 很难分辨。字典中 English 释义很多，形容词有"英语的""英国人的"和"英国的"三个意思，名词有"英语"和"英国人"两个意思，一个如此常见的词就这样突然蹦出来五个意思。而 New England 的解释是"新英格兰"，与 England 除了"新"与"不新"，似乎没有其他区别了。其实，只需记住下面这个图表就可以解决问题：

English	England	New England
与英国相关的表达	英国	美国

用两个最具代表性的例子来验证这个表格的用途，先看一个简单的例子：

> They claim that they were more loyal to the English political tradition than were the English in England.

翻译　他们认为，相对于身在英国的英国人来说，他们更忠诚于英国的传统政治。

直接套用图表，两个 English 分别表示"英国的"和"英国人"，都是与英国相关的表达，England 指英国。这样就很清晰知道 than 比较的内容是"对英国政治的忠诚度"，比较双方是英国人和 they。

再看一个较难的段落：

> In a recent study, David Cressy examines two central questions concerning English immigration to New England in the 1630's: what kinds of people immigrated and why? ... Each of these characteristics sharply distinguishes the 21,000 people who left for New England in the 1630's from most of the approximately 377,000 English people who had immigrating to America by 1700.

翻译 最近的一项研究中，David Cressy 研究了两个核心问题，这两个问题与 17 世纪 30 年代移民到美国的英国移民相关：什么样的人移民，他们为什么要移民？……每一个这样的特点都说明，17 世纪 30 年代到达美国的 21,000 人，与 1700 年前到近乎 377,000 移民到美国的英国人中的大多数完全不一样。

本段两个 English 都是"英国的"的意思，是与英国相关的表达。第二句中的 New England 就是指美国，与后面的 America 作广义上的同义。Leave for 是"到达"，所以文中句子指这些人"到达美国"。有些同学错以为 leave for 是"离开"，或者知道 leave for 是"到达"但错以为 New England 是英国，读起来方向就相反。所以无论是词汇和短语，都不可以掉以轻心。

既然谈到了 New England，不妨来做一些背景知识的补充：17 世纪初，英国英格兰的清教徒（Puritan）为逃避宗教压迫到了"新英格兰地区"。"新英格兰地区"包括美国的缅因州、新罕布什尔州、佛蒙特州、马萨诸塞州、罗得岛州和康涅狄格州六个州。新英格兰地区的人民会称呼自己为"New Englander"，是对自己的一种地理上的归属感。

当然，在 GRE 考试中，为了做题方便，我们可以把 New England 直接看作是"美国"，与 England"英国"相对应。

福尔摩斯：其实我不姓福

大家在生活中、看美剧时、甚至背词汇书时，经常会遇到一些"译不由衷"的单词，比如 Sherlock Holmes 为什么翻译为"福尔摩斯"而不是"赫尔摩斯"？第一次看到"张伯伦"有没有把他当成中国人？美国"企业号"航母和企业有什么关系？ plausible 翻译为"看似是真的"，那么到底是真是假？之所以这样翻译有以下几个原因：

1. 文字上的本土化处理

翻译人名时，在不改变原来发音的情况下，会在文字上进行本土化处理，加上中国的姓便于发音和记忆，比如 NBA 球员张伯伦（Wilt Chamberlain）、医生白求恩（Norman Bethune）、科学家薛定谔（Erwin Schrödinger）等。

据说 Holmes 之所以翻译成"福尔摩斯"而不是"赫尔摩斯",是因为第一位翻译 Holmes 的著名翻译家林纾是闽南人,受方言影响,翻译成了"福尔摩斯"而非"赫尔摩斯"。也许是因为"福尔摩斯"这个名字已经成了专属名字,于是之后再有人叫 Holmes,都会翻译成"赫尔姆斯"。

当然,并非所有音译单词都会被方言影响。相当多的翻译是音译与意译的结合,给人拍案叫绝的感觉。最著名的例子当属"可口可乐"(Coca-Cola),既能准确地反映发音,又能勾起消费者想要一饮而尽的欲望。

2. 一词多义

美国"企业号"航母的英文名字是 Enterprise。Enterprise 一词确实有"企业"的含义,但除了"企业"的含义外,还有"进取"之意。除美国外,欧洲很多国家的军舰也喜欢用 enterprise 这个名字。因此企业号航母更贴切真实含义的翻译应为"进取号"。

这也成为了 GRE 阅读中词汇题的考点。比如"her formidable gifts as a polemical and discursive writer"中 discursive 一词,我们会记住"混乱的"这个含义。但是在上面这个句子中,gifts 一词暗示 discursive 应该是个褒义词。因此这个句子里 discursive 是它的另一个正向含义——"分析性的"。

3. 字典中英文释义看得不仔细

这种情况在 GRE 词汇里特别常见,比如 plausible 在很多词汇书或词典中给的意思是"看似真实的",那么到底是真实还是不真实? *Webster Dictionary* 中给出的意思是:worthy of being accepted as true or reasonable。其实在 GRE 题目中,plausible 就是"可信的"。

类似的例子还有 empirical,经常被翻译成"经验主义",给人一种特别主观、不真实的感觉。*Webster Dictionary* 中给出的释义是 capable of being verified or disproved by observation or experiment,因此正确的翻译为"基于实验或观察的"或者"实证主义的"。

Circumstantial 在很多词汇书中给出的释义是"详尽的"。其实这个单词的正确理解应该是"细节完备,但缺乏主要证据的"。*Webster Dictionary* 的解释是:pertinent but not essential。法律上有一个术语"旁证"就翻译成 circumstantial evidence,即主要证据以外的间接证据。

Part 7

留学申请

如果没有微臣，从来不敢想象能够在短时间内高效突破 GRE。短短几天的课程，却浓缩了太多的精华，直到课程结束后依旧源源不断地带给我动力。遇见微臣，是我申请路上最大的幸运。

——杜婉铮

新加坡国立大学，微臣新加坡班

2017 年 7 月 13 日 GRE 考试

Verbal 164 Quantitative 168 AW 4.0

工科专业申请的三大重点

颜余真：北京大学环境科学学士；普林斯顿大学地球科学博士；微臣线上作文课讲师及文书负责人；微臣留学环境科学类导师

大家印象中的工科专业包括电子工程、机械工程、土木/环境工程、化学工程、石油工程等传统"硬工科"类专业。但其实在美国的院系划分中，工科和应用科学往往是划在一起的，因此诸如金融工程、计算机/软件工程、生物工程、工业工程等专业也被算在工科当中——例如哥伦比亚大学的金融工程项目就是 The Fu Foundation School of Engineering & Applied Science 学院的。

本文也将工科定义为广义的应用科学。之所以要强调这一点，是因为当大家毕业之后找工作时，因为这些专业属于 STEM（Science, Technology, Engineering, and Mathematics），所以可以获得长达 36 个月的 OPT（Optional Practical Training）期限。OPT 的中文是"选择性实习训练"，即毕业于美国高等院校的本科生、硕士、博士以及持有 F-1 签证的国际学生的在美实习工作许可。讲得通俗一点，就是毕业后可以合法地在美国工作。例如，当你不知道是该申金融硕士（MSF）还是金融工程硕士（MFE）时，它们是否属于 STEM 专业就值得让你考虑一番了。

然而，工科的竞争也毫无疑问是最为激烈的。一方面是因为工科的就业出口广，起薪也不错；另一方面是因为工科项目看重数理和逻辑，不会像文科一样默认自带极高的语言门槛，因此申请的国际学生比例很高。那么，如何在激烈的竞争中脱颖而出呢？

1. 科研/实习经历

因为工程和应用科学本身应用导向的特性，申请工科很重要的一点是要有课本之外的经历。这既可以是实验室的科研经历，也可以是业界的实习经历。如果申请电子工程方向的同学有贝尔实验室的"搬砖"体验，申请航天工程的同学有洛克希德·马丁的实习背景，申请金融工程的同学有高盛的工作经历，对录取是大有裨益的。

如果大家因为客观限制无法得到顶级的科研或者实习经历，那就在自己的院系好好工作，多和导师做项目。由于工科和应用科学的期刊没有自然科学那么多，所以能争取到开会做报告、投会议文章、申请专利的机会就很好了。

2. GPA

GPA（在校平均成绩）是反映一个学生学习能力和态度的指标。一个 GPA 不到 3.0 的学生如何让人相信他/她是一个优秀的学生？诚然，一个学生 GPA 很高并不能代表他/她在科研和实习中表现优秀；但反过来如果一个学生 GPA 很差，那么十有八九他/她的科研也做不好，毕竟基础不牢。

在 GPA 中，专业课比通选课和公选课重要，国外的学校更看重本专业相关的基础和高级课程。如果非专业课给你的绩点拖后腿了，在申请时可以算两个 GPA：一个平均 GPA，一个专业 GPA。

3. 语言成绩（尤其是口语）

因为导师经费（funding）的缘故，一般来说工科学生很有可能做 TA（Teaching Assistant，助教），这会要求有较高的口语分数。此外，在学术交流的过程中，要清晰准确表达自己的观点。不论是写文章还是作报告，写作和口语的重要性不言而喻。

理科专业申请的三大重点

朱怡然：复旦大学化学系学士学位；佛罗里达大学化学硕士研究员；GRE 化学 Sub 考试 98%；微臣留学化学类导师

理科的申请一定不是竞争最为激烈的，但由于录取门槛高、名额少，所以申请难度依然很高。每年不乏各种排名靠前、发表论文的"大牛"，在申请环节中马失前蹄。

因此，来和大家讨论一下理科申请的三大重点。我们所说的理科，指的是以基础研究为核心的自然科学，例如物理、化学、生物、地球科学等。

1. 硬件分数

GPA：学科课程基础对于理科申请者至关重要，这也是研究型理科与其他应用类学科最大的区别之一。这也不难理解，货币政策学得再好也不一定在做投资顾问时运用得好，但电磁学成绩高确实能代表学生有更好的科研理论基础。

GRE 和托福：除了 GPA 外，优秀的 GRE 分数（≥ 325）和托福分数也很重要。因为理科学生做 TA 的概率很高，合格的托福分数（≥ 100），尤其是口语分数（≥ 23）对大多数学校来说是必须的。

GRE Sub：理科申请者别忘了 GRE Subject Test 考试的存在。尤其是对数学、物理、化学、生物专业的申请，GRE Sub 的成绩是必须提交的。一个 90% 以上的成绩可以证明自己拥有扎实的学科基础，并且能在一定程度上弥补 GPA 的不足。

2. 学术研究（论文）

研究型理科的申请者不需要太多的实习经历，最重要的莫过于科研经历。大多数申请者，尤其是本科生，很难以第一作者身份在知名国际期刊上发表论文，但这不意味着不能申请或者竞争力太弱。

通过 CV、PS 以及面试等方式可以将自己的科研进展、想法很好地表达出来。但这些举措行之有效的前提是：平时留心科研机会，在申请前如果能有一年以上实验室经历是非常有利的。如果能得到海外科研的机会，将会锦上添花。

3. 套磁

"套磁"对申请博士的同学来说尤其重要。套磁相当于自我推销，好的套磁机会可以说是成功申请的一半。但需要注意的是，套磁并不是越早进行越好。申请者需要在自己的硬件分数和科研结果都基本成型时再开始套磁。这样看来，好的套磁是以之前的两点为基础的。

商科专业申请的三大重点

曹楚楠：普林斯顿大学金融硕士；香港知名投资银行交易员；微臣留学项目商科类导师

商科专业一般可以分为两大类，一类是数理型，如金融工程；另一类是非数理型，如经济、管理等。每一年商科专业的申请都是如火如荼，但其激烈的竞争也让真正优秀的申请者脱颖而出，进入自己梦寐以求的名校及院系之中。

下面是商科申请的三大重点：

1. 出色的实习经历

商科类专业很多都是硕士项目，硕士项目是以就业为导向的。所以，对方院校在录取时不得不考虑未来的 employment statistics。换句话说，院校不得不考虑："现在录取的学生在硕士毕业后能找到一份不错的工作来让院校脸上有光吗？"

因此，申请者在进入院校之前有漂亮的实习经历就显得至关重要。这在很大程度上能证明申请者在金融类机构中的出色的工作能力，也就相当于给对方院校吃了一枚"定心丸"。

2. 切合实际的职业规划

申请者在申请中（如 PS、面试中）所体现的未来职业规划是否合理也是院校考虑的一大要素。只有清楚地了解自己的实力，并据此对未来做出切合实际的规划的申请者，才是理想的候选人。

例如，一个并不具有出色实习经历的申请者在面试中如果表现出强烈的想在伦敦的对冲基金领域大展拳脚的想法，那么可能会被对方院校认为是不切实际，以致可能惨遭淘汰。

3. 专业的简历

金融专业的工作讲求"高效"，金融专业的学术申请也是如此。在面试中，面试官甚至都来不及细读申请者的 PS，但一定会浏览申请者的简历。

因此，一份专业、漂亮的简历不仅能够让对方院校快速了解申请者的信息，同时还能够展现出申请者作为一名出色金融工作者的潜力。所以建议大家最好能请到专业人士帮自己把关简历，不论是在内容还是形式上，都力求完美，抓住录取官的眼球。

文科专业申请的三大重点

王耕伟：清华大学外文系本科；哥伦比亚大学东亚研究硕士；微臣 GRE 写作讲师及文书负责人；GRE 写作 5.5 分；微臣留学文科类导师

文科类专业大致可分为研究型文科及应用型文科，而前者所占比例更大，包括：文学、文化、艺术、语言学、历史、哲学、宗教、人类学、心理学、经济、法学以及教育学、社会学、管理、传媒的部分方向。

每个专业在申请时虽然有细节上的差别，但总体来说，研究型文科在申请前有以下三点需要申请者尤其引起注意并重点准备：

1. GRE 写作分数

写作能力对文科申请者至关重要，同时也是下面的第 2 点和第 3 点的基础。而这里的写作能力指的是学术写作的能力。学术写作能力的水平不是由托福写作分数体现的，而是由 GRE 写作分数体现的。一般来说，文科类专业要求申请者的 GRE 写作分数不低于 4 分。一些学校的部分专业，如哥伦比亚大学的新闻专业，不仅要求考生达到 5 分的水平，还有专门检验申请者的学术写作水平的写作测试。

因此，考生应该高度重视写作能力。如果无法进行专业的学术写作训练，就应该在备考 GRE 时努力提高写作分数，并借备考 GRE 写作提高学术写作能力。要达到 GRE 写作 4 分，在考生英语基础不错（托福写作 26 分及以上）的前提下，至少还需要精读范文 20 篇，列出全部作文题目的提纲，并进行不少于 10 篇带有修改和反馈建议的全文练习。

2. 学术研究（论文）

研究型文科的申请者往往不需要实习经历，而需要把时间和精力放在学术研究上。文科类学术研究的最好体现就是论文或报告。虽然文科专业的申请者很难于本科时期在重要期刊上发表论文，但一个好的课题却依然能够展现出文科申请者敏锐的视角、丰富的阅读量以及优秀的学术写作能力。（这里的论文不一定是英文。）

要独立或合作完成一篇论文，文科同学也需要专业教师的指导。这就需要大家多留心平时课程的任课教师的研究动向以及院系老师（最好是自己认识的教授级别的老师）新开的研究项目，一旦有适合自己的项目，大家一定要毛遂自荐并全力以赴地投入其中。

3. Writing Sample

一篇好的 Writing Sample 足以让考生被破格录取。这就充分说明了 Writing Sample 的重要性。

Writing Sample 被称作"写作小样"，它可以是申请者的一次课程作业、一次阅读报告或是学术论文的一部分，但一定要是英文的。它之所以占有如此重要的地位，是因为它真正体现了申请者作为一个文科类学术研究者的实力或潜力。它全面体现了申请者的学术修养和写作功底。同时，对方院校的教授也会仔细阅读申请者的 Writing Sample，选择学术能力强并且和自己研究方向契合的候选人。

为了写出一篇为申请加分的优秀的 Writing Sample，我们给申请者提出三条建议：
① 提高学术能力，尤其是学术写作能力。多读优秀的学术英语论文。
② Writing Sample 不需要长，达到学校要求的下限（一般是 10 页左右）即可，但一定要保证内容精湛。
③ 如果时间允许，尽量为不同意向教授撰写不同的 Writing Sample，并且在写作中援引或分析该教授的学术成就，这样能最大程度贴合教授的研究方向，并且让他倍感荣幸。

CS 专业申请的三大重点

夏飞：卡耐基梅隆大学计算机科学硕士；Google 特聘软件工程师；微臣留学计算机科学类导师；"小牛人俱乐部"成员；GRE 分数 V167+Q170

1. 科研背景

科研背景对 Ph.D 申请者来讲至关重要，而对申请 Master 的同学来说则是锦上添花。申请者需要在这一方面提前准备，多和学长、老师了解 CS 的不同方向，确定一个自己感兴趣、未来又比较有发展前途的领域，然后留意该领域内的"大牛"老师和实验室，尽力寻找声名远播、甚至活跃于国际学术界的教授。一个好的前期定位与搜寻是申请者之后发论文、拿到优质推荐信的前提。

提示：除了本校教授之外，国内其他院校、甚至海外院校的教授也是不错的项目导师人选。申请者可以通过海外学校的暑期课程，或者是海外学校实验室的暑期科研项目寻找意向导师。与教授由浅入深的交流不但能加强并深化其对申请者的认识，对丰富申请者的个人经历也十分重要。例如，我曾经指导学生申请到斯坦福大学的硕士项目，该学生最大的亮点就在于优质的暑期项目及在项目中结识的"大牛"导师所写的推荐信。

2. 项目经历 / 公司实习

CS 领域衡量一个申请者基本能力的标准很简单：将来所做的项目是否可行。而录取官只有申请者以往的项目经历为依据可以对这一点进行判断。所以，项目经历对任何一个 CS 专业的申请者都是必要的。举个例子，一个希望转专业到 CS 的申请者如果在一年内参加了相关的课程培训，在对口公司进行了一段时间的实习，并最终在卡耐基梅隆大学硅谷校区的 Master of Science in Information System 中完成过一个项目，这些课程、实习和项目就可以很好地弥补专业方面的不足。

3. 套磁

申请 Ph.D 的同学在确定自己感兴趣的领域后，要多了解申请学校在该领域的教授，仔细研读他们的个人主页，了解其具体科研方向和相关论文，然后多套磁。套磁可以谈自己的背景、自己为什么对这个方向感兴趣以及做了哪些准备，也可以涉及对方的具体论文或著作。

有人说申请 Master 套磁没用，但这并不是正确的。Master 的申请者不必和具体方向的教授套磁，但是可以直接跟主管 Master 项目的 director 进行交流，介绍个人背景、为什么对这个项目感兴趣以及以后的职业规划等。

另外，不管是 Ph.D 还是 Master，都要做到以下两点：
① 具体化。不要泛泛而谈没有营养、不着边际的内容（如冗长的个人成长史）；
② 坚持到底。教授们都很忙，所以第一封套磁信经常如石沉大海一般，这再正常不过了。但暂时不回复不代表教授没有看过该邮件或对申请者的研究不感兴趣。所以大家不能轻易放弃，要持之以恒。

生物专业申请的三大重点

曾婧雯：北京师范大学生命科学学院学士；宾夕法尼亚大学细胞分子生物学博士在读；微臣留学生物类导师

1. 申请硕士还是博士

虽然目前国内大部分高校在研究生培养的制度上博士和硕士的主要区别仅仅在于毕业所花的时间、课题的大小和深度、发表的文章数量和质量，但在美国，硕士教育和博士教育还是有很大区别的：大部分硕士项目是为了帮助学生在较短时间内（通常为一到两年）获得实用的就业技能，但也有部分硕士项目同时也培养学生的科研能力，让有意继续读博的同学做好准备；与此相对，博士教育的导向是进行专业化、高强度的科研训练。

让我用一个具体事例说说吧！去年，我和微臣留学部门合作辅导了学员施同学。她本科学的是生物科技，在本科期间也有一定的科研经历（但没有 paper），也因此得到了去 Ohio University 做访问学者的机会。但她跟我说，每次做科研时她都很痛苦，因为不想一辈子在实验室度过。当时决定辅导这个学生时，说实话，我内心也有点犹豫，毕竟很多学生还是希望去读生物博士并继续在实验室做科研的。我的帮忙是否让她最后去了美国，但却偏离了自己的内心？

从学生的意愿出发，我和施同学调整了她的申请方向：既然学生的目标很明确——不做科研，那么从选校方面讲，只开设博士项目或者研究型硕士项目的学校就排除在外了。为了同时缩小选校范围而又不漏掉任何一个好项目，在去年暑假期间我带着她一起对将近 50 所学校的生物类项目做了全面的调研，最后将它们分为三类：

① 偏重于科研，所以只开设了博士项目（如 Harvard, Princeton）；

② 与生物相关，但偏重于工商类的生物技术硕士项目或者其他生物交叉学科（如 Columbia, Case Western Reserve）；

③ 有些学校的生物硕士项目有更多的实验室科研训练，少数学校甚至提供 TA 或 RA 的机会（如 University of Delaware）。

正因为我们在选校时做了大量的信息搜集，施同学本身背景也不错，很配合事先的申请计划早早考出了 GRE 和 TOEFL 的成绩，最后申请结果很喜人：申请的 15 个项目全部被录取，甚至还有 Virginia Tech 等学校愿意给她从硕士项目直接跳到博士的全额奖学金。最后，站在施同学的立场上，我们并非只关注那些所谓的排名，而是选择了当地生物技术行业高度发达的 Texas A&M University。

2. 决定做科研？先仔细调查不同院校的具体方向

生物专业的许多分支在一些本科院校就已经有细分了，虽然硕士、博士的申请方向和本科专业方向一致会比较容易申请，但想要转到别的生物专业也是可行的。这时需要注意的是，不同学校生物医学方面的科研强项不同，实验室的数量和研究方向也有很大区别。有些学校医学院很大，生物医学是 umbrella program，可选专业范围大，比如 Harvard, UPenn；有些学校则明显地偏重某个或某几个方向，尤其是研究所（比如 Sloan Kettering 偏重 cancer biology，而 Princeton 只有 molecular biology）。

申请小 tips：

并非申请方向一定要和本科方向完全一致，有时一些细微的不同反而可能会更让教授青睐。更重要的是，大家要明白申请方向的具体内容，并能够在各类申请文书、套磁信以及面试中展示出自己即使本科不是做这个的，也完全有基础有能力去面对未知的各种困难。

3. 抓紧一切时间加强科研背景

生物是个实验性和操作性很强的学科，因此仅仅有好的成绩是不够的。较强的科研背景、丰富的科研经历对申请研究生院校，尤其是博士项目非常重要。所以大家要尽可能早地把托福和 GRE 考完，然后尽量多地参与实验室课题，主动与导师和研究生师兄、师姐学习讨论，争取尽可能多的机会参与实验操作和结果分析。虽然有文章发表对申请是一个很好的加分项，但教授们真正看重的是学生是否具备对应科研方向的研究能力。

在申请阶段，大多数国内本科生缺乏时间和相应经验。DIY 固然可以帮助自己更了解自己，免受各类机构非专业人士的误导，但如果一旦失利，时间和机会成本的损失是巨大的。所以推荐各位学弟学妹们在申请时，寻求有相应申请经验，最好是目前已经在美国院校就读 Ph.D 的学长、学姐的帮助，让自己少走弯路的同时，提前了解体验美国的科研、学习生活。

经济学申请的三大重点

梁颖：人民大学会计学士，伦敦政治经济学院经济硕士，纽约巴鲁克学院会计博士，微臣留学会计专业及经济专业导师；2015 年辅导微臣留学项目范同学获得 NEU、GWU、UTDallas 和 UCONN 硕士奖学金录取

经济学的申请分为硕士和博士学位的申请，但从本科直接申请到博士有一定难度，因而不少申请者选择以硕士学位为跳板申请博士。当然，硕士毕业之后直接工作也是很多同学的选择，证券公司、咨询公司都是不错的去处。

2015 年我在微臣辅导过申请经济专业的学生并取得了不错的成绩，现在就和大家分享一下经济学申请的三大重点。

1. GPA

不论是申请经济学硕士还是博士，甚至不论是经济学方向还是会计、金融方向，大家在去美国之后躲也躲不过的就是一些高难度的"硬课"，如高级宏观经济学、高级微观经济学、高级计量经济学等。除课程之外，大家还会接触到大量与经济相关的英文学术阅读，其内容也往往艰深晦涩。为了确保申请者能够适应这样的高强度、高难度学术生活，美国经济学专业的录取官会非常看重大家的 GPA，尤其是跟经济学直接相关的课程的 GPA，如中级微观经济学、中级宏观经济学等。

除了保证有不错的 GPA，大家如果能在经济学领域有一些独到的见解也是很不错的。这种见解可以以学术报告、小论文的方式体现。但要注意，这种论文一旦要提交给对方院校，就一定要保证其内容可以让人眼前一亮，英语语言也要合乎规范，建议大家找到比较专业的人来指导润色自己的论文写作。

2. 实习经历

经济属于人文学科，一般的人文学科往往不需要太多的实习经历，但经济专业不同。拥有强大的实习背景在申请中是非常有优势的。但需要注意，与一般商科类的实习不同，经济专业的申请需要大家在实习中展现或者培养出研究能力。因此，证券公司、咨询公司或者投行虽然都是很好的实习场所，但实习职位的选择却很重要。

举例来说，证券定价就比证券销售更注重实习者的研究能力，也能为实习者提供研究的平台，所以前者就比后者更适合经济类研究生的实习。我 2015 年在微臣指导的两位学生就都在申请前和我进行了深入的交流，我也为她们推荐了一些适合其背景的实习公司，这样的实习经历可以算是她们在申请前的最后一段加速冲刺。

3. 抓紧一切时间加强科研背景

我遇到过很多申请者，他们都具有很丰富的学校经历，但遗憾的是，这些经历往往和申请并无太大关系。比这更遗憾的是，有一些经历其实和申请非常贴合，但申请者往往无法挖掘出这些经历背后的共性以及其和对方院校要求之间的联系，因而无法在文书里展现出这些经历的亮点。

2015 年我辅导了微臣的范同学，她就是一个典型的以学校经历取胜的例子。范同学的 GPA 并不高，专业课的学术表现也并非十分突出，但她最亮眼的便是学校的一系列活动经历。她在大三的时候参加"挑战杯"，获得了省一等奖，并且因为这段经历结识了一位非常牛的老师，而这位老师之后顺理成章地成了她的推荐人。在范同学的 PS 里，我们着重挖掘了她的这一段经历，充分展现出了她的研究能力。而这封推荐信和 PS，也是我认为她最后获得四所很不错的院校带奖录取的重要原因。

东亚研究专业申请须知

大家在申请时一般都定位在和自己所学绝对匹配的专业上（且这种匹配一般局限于专业名字），有时会忽略一些其他有可能的专业。现在向大家介绍一个在国内不广为人知，但在美国却很火的专业：东亚研究。

1. 谁可以申请东亚研究

如专业名字所示，东亚研究的研究领域限定在东亚，可以是针对中国、日本、韩国、朝鲜等国的单国研究或诸国的比较研究。除了地域的限制之外，东亚研究的研究内容非常广泛，其研究方向可包括文学、艺术、语言学、文化、哲学、宗教、人类学、公共关系、传媒、电影、教育、政治、经济、金融等，凡是以上的专业的学生都可以尝试东亚研究的申请。因为国内并无东亚研究这一专业，所以很多申请者在申请时错失了申请东亚研究专业的机会。

2. 东亚研究对申请者背景的要求

东亚研究对申请者的要求主要集中在以下两方面：

① 良好的学术英语阅读和写作能力

东亚研究的硕博士需要阅读大量的学术英语专著，并需要撰写相当数量的学术文章，这就要求申请者在入学前就具备优秀的英语学术能力。所以，绝大部分东亚研究对研究者的 GRE 语文及作文部分都有一定要求。如芝加哥大学的东亚研究专业就要求申请者的 GRE 语文达到 160 分。

另外，东亚研究专业普遍要求申请者提交 Writing Sample。Writing Sample 中文是"写作小样"，是集中体现申请者的学术能力和英文写作能力的材料，其对申请者的写作要求远高于 GRE 写作。在东亚研究的申请中 Writing Sample 占有最重要的地位（甚至比 PS 还要重要）。所以建议考生专门为申请而准备几篇高质量的 Writing Sample，保证其既和对方教授的方向贴合，又能体现自己的学术英文写作能力。

② 和申请专业相匹配的学术背景

东亚研究的方向多种多样，因此它对申请者学术背景的要求也不尽相同。如果是申请文学、文化等偏文科方向，那么论文（不一定是发表过的论文）和学术研究就最为重要；但如果是申请教育实践或者经济等方向，实习就在申请中扮演着不可或缺的角色。

3. 哪些院校开设东亚研究专业

美国的很多院校都开设有东亚研究专业。顶级院校如 Harvard、Yale、Princeton、Stanford、Columbia、Chicago、UCBerkley 等，所开设的东亚研究专业同时也是这些院校的顶级专业。另外如 NYU、GWU、USC 等大学也都开设东亚研究专业。

需要注意的是，本科学生直接申请东亚研究的博士有相当难度，所以一般希望读博士的学生都会以硕士为跳板。当然在读完硕士之后，也有相当一部分的学生选择就业，而东亚研究的就业前景也比较广阔，具体的职位需要根据学生的研究方向而定，政府机关、公司机构都是不错的就业平台。

美国金融工程专业申请须知

1. 美国金融工程专业的概况

金融工程有很多种名称，比如 Financial Engineering（金融工程）、Financial Mathematics（金融数学）、Mathematical Finance（数学金融）、Computational Finance（计算金融）。不管称谓如何，都是以数学工具来建立金融市场模型和解决金融问题的学科。此外，金融工程是一门综合了金融学、数学和计算机科学的交叉学科，其课程通常由大学的商学院、数学系和工程学院联合授课。

美国金融工程课程由于集中于金融领域，所以深度远远超过 MBA 金融方面的课程，通常包括股票市场分析、投资组合分析、期货和期权、资产定价、资本预算、固定收益分析、利率模型、金融风险管理等课程。金融工程也是近年兴起发展速度最快的学科，研究的范围涵盖计算机、财务、数学与统计四大领域。关于就业方面，国内外金融发展的方向大体是一致的。**比较有潜力的就业方向有：公司财务、风险管理与控制、金融市场、保险精算和证券投资。**

2. 美国金融工程硕士申请看重数理背景。

在有排名的学校中开设金融工程专业的学校相对 Finance 来说更多，其中很多都是综合排名非常靠前的学校，比如 Stanford，Columbia，Chicago，Cornell 等名校就是只有金融工程专业而没有金融专业。

金融工程通常是由几个院系共同开设的交叉学科项目，例如数学系、工程学院和商学院。从这一点也不难看出，该专业对申请人的要求侧重于数理方面的背景，因此如数学、统计、计算机等专业的学生在申请时非常有优势。该专业对金融专业知识反而没有严苛的要求，一位哥大的教授明确指出："**要申请金融工程，不懂金融我们可以教，要是不懂数学就请回去学会了再来**。"可见数学功底对申请此专业是多么关键了。金融工程不是纯商学院的项目，因此 GMAT 成绩也不是必需的，但是需要 GRE 成绩，有些学校两者都接受。

语言方面，排名高的学校对此也有很高的要求，托福至少 100 分，芝加哥大学还要求单项不低于 26 分。金融工程是用数学作为工具来解决金融的问题，作为一个新兴的学科，它有很大的发展前景。

3. 奖学金

如果申请金融商科类专业的硕士，那么得到全奖比较困难。但是通过套磁或积极与意向院校联系沟通还是可以得到一些"小奖"的。比如去年拿到 NYU 录取的方同学，在 PS 里突出了自己在国内券商两个月的实习经历，得到对方院系的青睐拿到了 7000 美元的奖学金。另外一位范同学的语言成绩比较一般，但是在专业导师的指导下从社团活动入手挖掘自身亮点，最终拿到 Northeastern University、GWU、UConn、UTDallas、Illinois Institute of Technology 的录取，其中还包括"半奖"硕士录取。

如果申请博士，则需要申请者自身有强大的学术背景和实习经历，并且不断积极向意向院校套磁展示自己。申请到卡内基梅隆 Ph.D 的王同学自身背景优秀，在专业导师的指导下不断跟进，与导师套磁，最终申请成功。

手把手教你要推荐信

1. 为什么要早点动手"搞定"推荐人?

① 为了保证自己推荐的可信度，有的教授一年只推荐几个人，这时候自然是先到先得。

② 推荐人一般都要忙于科研、教学、行政任务，而写推荐信对于老师而言优先级较低。

2. 找谁要推荐信?

寻找推荐人所遵从的原则是：**熟悉和认可你的老师 > 名气大但不熟悉你的老师**。

当然，由名气又大又熟悉你的老师来写是最理想的状态，但二者取其一的话，还是熟悉的老师更好。究其原因，我们不妨简单思考一下推荐信背后的逻辑：申请当中的推荐机制其实是推荐人以自己的声誉作担保，推荐有潜力的学生进入学术界。如果一个老师名气很大但对你不了解，他/她为什么要用自己的学术名声做赌注来推荐你呢? 曾经有同学问"某某大牛教授来我们系做了一次讲座，我提了一个问题，我可以去要推荐信吗?"我们照这个思路思考一下就不难得出答案：不可以。

作为学生来说，一般能够接触比较多的老师一是课程老师，二是科研导师；对有实习的同学来说，实习上司也算是一类。由于同他们有互动的机会，这些都是潜在的推荐人。所以低年级的同学们，课上好好表现是很有必要的。有出国交换和暑期学校机会的同学也要好好把握。

3. 怎么要推荐信?

对科研导师或者实习的老板来说,只需要和他/她打一声招呼即可。一般而言除非你太游手好闲,给大家留下了恶劣印象,他们都会很乐意推荐你的。对没有机会当面要求的老师就得靠发邮件了。一般来说邮件遵循两个原则:**开门见山和简明扼要**。

首先,要推荐信不是什么丑事,不用套了一大段近乎之后才遮遮掩掩说出"能不能帮我写推荐信"。

第二,第一封邮件只要简单介绍自己,再说出写推荐信的请求即可,不用写成个人先进事迹总结。

第三,当老师对你的要求给出答复后,你再跟进提供详细的信息(例如你的简历、发表的论文或者以前课程上的大作业等)。

下面附上一个简单的模板,大家写的时候别偷懒,一定要根据自己的情况调整和润色,要不然一个教授看到三封相似度99%的邮件,心情可想而知。

XX 老师您好,

我是您 XX 课上的学生 XX(课程分数:XX),来自 XX 学院,今年大三,打算申请美国的研究生项目。我在您的课程上不仅学习到了许多知识,也在科学思维方法上有很大的提升,所以故想请问您能否帮我写一封和课程相关的推荐信?

我现在在和 XX 老师研究 XX 课题,今后研究生阶段希望展开 XX 方面的相关研究。这个方向很看重 XX 方面的基础,而我在您的 XX 课程上的表现能够证明我在这方面的实力。

最后,我知道您公务繁忙,故在此先谢过您浏览此信。期待您的回复。

顺颂春祺/谨祝夏安

XX

手把手教你写 Writing Sample

对申请文科硕士特别是博士的同学来说,Writing Sample(WS)几乎是绕不开的重要一步。对很多极少用英语写作甚至长期担任"中国知网搬运工"的中国学生来说,多达十数页的 WS 是一个很大的难点。

1. 什么样的学校和专业需要 Writing Sample?

一般来说,文科类和社科类专业都需要申请者提交 WS。具体来说,要求提交 Writing Sample 的专业一般包括:社会学、哲学、社会心理学、文学、传播学、人类学、种族学、东亚研究、考古学、神学等。

2. Writing Sample 怎么选题?

对于申请 Master 的同学来说,WS 的选题相对灵活,而重点在于如何在这篇学术论文中向教授展现自身的专业知识和学术写作能力。比如申请东亚研究专业的古代日本文学方向,WS 的内容是中古还是上古时代并非十分重要。

然而，申请 PhD 的同学则应该高度重视 WS。一方面选题需要高度贴合意向教授或专业的研究重点，另一方面还需要符合学术写作规范。**一篇和对方教授方向契合的高质量 WS 可以直接让申请者被录取**。

3. Writing Sample 怎么写？

① 对现有论文进行翻译

这种方法可以节省时间和精力，但是也存在一定问题。首先是专业术语的翻译，这部分可以寻求翻译机构的帮助。但是非相关专业的翻译者通常不了解特定专业的术语而选择"硬翻"或者在线翻译。

案例：去年申请比较文学的黄同学请翻译机构帮忙翻译 WS，其中一个很重要的文学概念"物哀美学"被翻译成"sad aesthetics"，幸而导师二次修改之后选择了专业术语"aesthetics of subjects' melancholy"，才避免了论文质量因翻译而下降。

② 针对意向教授专门撰写 WS

在这个环节中申请者需要关注心仪教授的主要研究方向和本学科的最前沿理论。很多教授在自己的研究领域中有方向的侧重或理论的偏好，而申请者在撰写 WS 时就需要投其所好。这样的写作方式比较耗费精力，但如果能保质保量，效果会非常显著。PhD 的申请者多采用这样的写作方式。

案例：李同学对宾大东亚研究某教授的一篇关于中世纪日本文学的论文感兴趣，希望借此套磁，但专业导师通过自己的人脉了解到该教授的科研兴趣已经转向了日本现当代文学，于是帮他修正了 WS 的内容。最后李同学也顺利拿到宾大东亚研究的硕士录取。

4. Writing Sample 在语言和格式上的要求

WS 是标准英语学术写作，其对写作的要求会远高于 GRE 写作。这种要求首先体现在学术语言的使用上。例如，要表达"鲁迅是二十世纪中国最伟大的作家，他的作品质量高且复杂，他的影响力延续至今"，一般同学会说"Lu Xun was the greatest author in the 20th century in China. His works are outstanding and complex, and his influence lasts until nowadays."而正式的学术论文可能会使用类似"Few authors in Chinese literary clique can rival Lu Xun in the twentieth century: he is the literature guru of high quality and complexity, and has enjoyed uninterrupted popularity until now."

除了语言之外，论文的格式也是重中之重，这代表了申请者的学术素养。建议申请者在动笔写 WS 之前，多多研究相关的英语学术论文，注意格式和写作规范。

手把手教你写 Personal Statement

1. Personal Statement

(1) 重要性

① 综合实力（论文、科研和实习）的集大成体现。

② 申请者的个性化商标。

(2) 写作要点

语言上：简洁、地道、亮眼。

简洁：用尽量少的词数表达尽量多的精彩内容。

地道：拒绝中式英语。

亮眼：准备多年的 GRE 词语可以用上了！（前提是用准）

内容上："众星拱月"——所有的经历都需要为申请服务。

(3) PS 的构思

所谓的"我没有经历"，只是没有挖掘出可用的经历；所谓的"我的经历很 low"，只是没有正确转化经历；所谓的"我的经历很散很乱"，只是没有抓到众多经历的共性。

好经历的挖掘与总结，需要数小时的苦思冥想。没有彻夜痛哭，没有资格聊 PS。

(4) PS 的修改方式

内容：

① 增删：删掉和申请无关的；将每一段经历和申请相关的增补出来。

② 梳理：找出所有经历之间的共性。

语言：

① 修改：将最低级的语法错误消灭干净。

② 润色：请高人出手相助，将语言打磨得简洁、地道、亮眼。

2. 实例展示

(1) 学生背景：

- 不太了解能申请什么专业，在留学导师建议下选择比较语言学
- 二本学校，非 211
- 主修中文，辅修日语（因为喜欢日本动漫）
- 有一篇语言学 report，未发表（是 summer school 的作业）
- 系学生会副部长
- 课外活动：系里的日语比赛；"停电行动"；社团：cosplay club，wine club；两次暑期支教

(2) 学生写作段落：

At XX University, I major in Chinese and I took a Japanese major. Due to the two majors, I have got the capability to find the essence of things by using bilingual resources. I have also got leadership by holding various activities, taking part in myriads of clubs and volunteering at multiple teaching programs...

(3) 问题：

- 完全没有凸显申请意愿，也没有展现自身能力。
- 对经历的描述太过笼统，用词太过随意。
- 经历和经历之间缺乏内在关联，语言形式上也缺少衔接。

经过和学生的头脑风暴，我们对她的经历进行了改造：①热衷比较语言学；②大三选日语辅修；③ Report:《中日敬语体系中的"你"》；④组织并且参加系里的日语比赛；⑤竞选学生会主席。

重新组装之后的经历有了崭新且强大的逻辑：①因为热衷比较语言学，所以大学选了中文专业；②中文学好之后，转向日语；③日语学术能力强：由 report 体现；④日语应用能力强：由日语比赛体现；⑤ leadership 强：由日语比赛和竞选体现。

有了强大的逻辑支撑，再辅以准确的书面英语，一个全新的 PS 段落就诞生了：

I majored in Chinese at my undergraduate university. However, my intense passion for comparative linguistics galvanized me to embark on Japanese language learning in my junior year. Since then, I have established competent bilingual abilities and employed them to further research: The You in Chinese and Japanese Honorifics. Furthermore, I utilized my language strengths in organizing and hosting the annual Japanese Speech Contest in our department, which received wide applause among teachers and students. It is also through the organization and participation in the activity that I formed dynamic leadership, which greatly facilitated my further campaign for the student president of our department.

CV 写得好，Offer 拿得早

CV 可以说是各位同学申请材料的"脸面"，也是审核材料的教授最先读到的部分。一篇好的 CV，可以给教授留下很好的第一印象；而糟糕的 CV，即使学术实力过人，也会让教授反感。

下面是一些 CV 上的共性问题：

1. CV 的长度

CV 是各位同学和申请专业相关的个人简历，不论各位同学的经历多么丰富，CV 一定要控制在两页 A4 纸之内。

各位同学感兴趣的话可以到美国各大名校的网站上去看看"大牛"教授的简历，很多教授的简历都可以精简到一页以内。所以可想而知如果教授看到一份四页的简历，他读下去的欲望会有多小。

2. CV 的内容

(1) 在 CV 里面需要写清楚的是高等教育背景，也就是大学之后。高中的经历即使亮眼，也不需要写到 CV 上。

(2) 各项经历：一般而言，理工科同学需要强调科研，文科同学需要强调学术论文，而商科同学需要强调实习。当然这只是最粗略的分类。

比如，某同学申请教育学，既有支教实习的经历，也有学术论文的储备，并且这两者都和她的申请息息相关，所以写 CV 时必然也会把这两者都包含进去。与科研、论文和实习相比，一些社团活动的经历就显得不太重要，除非是和申请相关，否则一般不必列入 CV。

(3) 大家在描述每一项经历时，一定要本着简洁、准确的原则。只要把项目的主题和大致内容写清楚就可以，不需要详细到遇到的困难、获得的感想等（这些部分在 PS 里面说明即可）。

在简洁性方面，学术表达会帮大家很大的忙。例如：与其说"I was responsible for the course design. Therefore I asked every student's needs and made correspondent adaptions"，不如一句简简单单的"Customized courses in accordance with students' needs"。

3. CV 的格式

CV 的格式一般采用"哈佛模板"，各位同学如果不确定具体的 CV 格式，可以参考院系教授的 CV 格式，确保万无一失。

注意事项：

① CV 中不需要附加照片，也不需要带有中国特色的"民族""政治面貌"等信息；

② CV 的排版要清晰美观，以 PDF 的格式上传。

CV 中可以使用表格来让排版美观，但请一定使用暗格。

关于选校，这些事你必须知道

1. 怎么确定专业和研究方向？

"我对这个专业特别有热情。"这是学生最常说的一句话。有学术热情当然是继续深造的基础，但是在选择专业的过程中更重要的是对意向专业的高度了解。

申请前可以从以下几个方面展开初步规划：

- 我要申请硕士还是博士？我的意向专业是否开设这两个学位的项目？
- 我更看重专业排名还是综合排名？
- 依靠现有的学术背景，我是否有完全对口的申请方向？是否有可能多专业申请？
- 不同学校的相同专业各自有什么特点？
- 想要申请的学校是否对托福和 GRE 有硬性要求？

2. 地理位置在择校和选择专业中重要吗？

地理位置的考虑一直是一个重点。学校的地理位置在一定意义上决定了学生在美国的生活方式，甚至发展前景。一部分地区因为某些高校的聚集而形成了独特的比较优势。以下是根据留学资深导师在美国各个高校的学习工作经历，为申请者提供的地理位置信息：

西海岸加州的大学系统是公认高性价比大学系统，有斯坦福、加州理工等私立名校。硅谷、好莱坞都在这里，加上良好的气候条件，加州一直以来吸引着最多的中国留学生，竞争也就异常激烈。

东海岸的纽约无疑是金融商科类专业的优选。"康州—纽约市—新泽西"俗称"三州区域"，拥有大量著名的金融保险大公司，是全美平均最富的区域。此外，纽约也是艺术生的殿堂，各大博物馆、时尚工作室是艺术及设计专业学生实习锻炼的好去处。

东北部地区的"波士顿—纽约—费城"更是常青藤盟校及著名的 MIT 的所在地，是自然科学以及 MBA 等各学科名校云集的地方。

北卡罗来纳州在高科技和经济金融方向有很大优势，杜克大学就坐落在北卡。

3. 非官方消息

在选校阶段，除了从学校官网获取官方信息，一些"内部消息"也很重要，甚至更为重要。如：

(1) 教授研究方向：申请者需要留意教授的最新学术动向，主要看教授近期有没有在顶级或高档次刊物上发表过论文，主要可以参考平台的有 Academia、LinkedIn 等。

(2) 招收中国学生的传统：学校官网关于系里 faculty 和 graduate student 的介绍通常可以找到一些线索，当然如果能找到师兄、师姐的介绍和引荐就更好了。

(3) 实习就业前景：有些学校会说明有实习的机会。实习通常是就业的很好的跳板，位于大城市的学校会更有优势。往届毕业生和意向教授的学生去向也是判断就业前景的一个重要指标。

套磁，如何正确"撩"到心仪的教授

1. 为什么要套磁

很多习惯于国内应试教育模式的同学可能没有意识到，申请 Ph.D/ Master 是一个推销自己的过程，目的是得到对方院校教授的认可，最终收到录取。PS、CV 和推荐信都可以被视为推销的手段，而套磁就是定向投放广告，主要有两个作用：

(1) Mere-Exposure Effect（"刷脸"效应）

为了让对方院校教授熟悉自己。把自己的 CV 和研究方向介绍清楚，在网申之前做好铺垫。

(2) 预判其潜在需求，投其所好

美国院校的教授在每个申请季都会收到大量的套磁信，因此教授对学生套磁的目的也很清楚，所以一般会比较明确地回复学生是否有招生名额以及是否有 funding。

总之，套磁的根本目的是提升录取概率，减少无用功，尽量向对方院系教授了解到自己想要获知的信息。

2. 套磁的关键

(1) 准确获知对方需求

美国院系的教授大致可以分为年轻的副教授（AP）、已有 tenure（终身职位）的中年教授和已经功成名就的老年教授。对年轻教授来说，他们希望有更多的科研成绩和资金以便得到晋升，因此需要招收的学生数量会相对较多。对已经获得 tenure 的中年教授来说，希望在自己的领域取得更多突破，对学生的期待也会更高。而功成名就的老年教授已经不会把自身的成就视为重要的考量，因此招生名额相对较少，这样的教授也不是我们主要的套磁对象。

(2) 精准展示自身实力

不论是年轻教授还是老年教授，核心都是科学研究。因此在套磁之前我们要考虑的问题是：

- 我有什么突出的学术能力？
- 我的能力可以帮助教授的研究吗？
- 我的经历和教授的方向匹配吗？

除了硬实力之外，还有软实力，比如是否具备科研潜力。因此即使还没有发表的论文、建模大赛等等都可以用作套磁。

(3) 充分表达自身诚意

3. 套磁的忌讳

(1) 缺乏诚意

在海量套磁时一定要避免犯一些低级错误，比如发送给 A 教授的邮件误写成 B 教授的名字，以及一些词不达意、低级的语言错误，这会给教授留下很不好的印象。

(2) 过分激进

很多同学为了表达自己对专业和学术的热爱之情，在套磁信中言过其实，过度承诺。比如很多同学写道 "I will dedicate my life to academic" 或者 "I work hard and even stay in the laboratory on weekends." 教授读到这部分不仅不会感动，甚至难免会受到惊吓。

(3) 过分卑微

虽然同学们求 offer 的心情可以理解，但是学生和教授应该处于平等的地位，因此套磁邮件只要言辞真诚就可以了，语气不需要过分卑微。

(4) 切忌模板

滥用模板是套磁邮件的大忌，套磁邮件本身就是以邮件的形式，如果滥用模板的话会显得十分生硬、不真诚，因此教授会产生极大的反感。在套磁信写完之后，建议可以拜托前辈师兄师姐检查，避免不得体。

申请硕士和博士原来有这么大的区别

在国内，硕士和博士是同一条教育线上的两个阶段。但在美国，硕士和博士是两种不同的学术或职业选择。这一点根本差别会让学生对选择硕士还是博士有一个全新的认识。以下选择学位时应该注意的几点：

1. 我是要就业还是要学术

"学历越高，越好就业。"这一点似乎在国内家庭的观念中根深蒂固。但美国的情况却远非如此。在美国，一般情况下，硕士项目是以职业培训为主要内容的，而博士项目是以学术研究和科研为重点的。

因此，硕士项目的毕业生绝大部分选择就业，只有少部分选择继续攻读博士项目；而博士毕业生大多会继续在高校进行学术研究，即使选择就业，也多是和科研学术相关的工作。在美国，硕士学习是为了让学生找到一份更好的工作，而博士学习本身就是一份工作。

2. 硕士项目和博士项目最看重什么品质

既然大部分硕士项目以让学生找到一份好工作为目的，那么硕士项目在录取时就需要考虑一个问题：这个申请者以后能找到好工作吗？他／她会给学校及院系抹黑还是争光？

因此，在审核学生材料时，录取官会着重审查学生在以前的经历中所体现出的能够帮助其找到好工作的潜质与特点。所以对很多硕士项目来说，实习经历会在申请中扮演重要角色——一份出色的工作经历会容易让人相信该生毕业后也能找到好工作。

而对于博士项目来说，学术研究能力及方向最为重要。申请者需要通过已经取得的学术成就来体现这两点。所以，科研成果、论文、PS 在博士申请中就有着无比重要的地位。

3. 硕士项目和博士项目的申请环节中什么最重要

(1) 硕士：自身经历的提炼和包装（文书）

申请硕士项目的申请者普遍不需要非常强大的学术背景，因此对于现有经历的提炼和包装就显得非常重要。所以，集中体现这种经历的文书就显得尤为重要。

(2) 博士：套磁

对博士学位的申请而言，套磁几乎决定了一切。因此，学生需要和意向教授进行多次套磁，且套磁内容不能套用模板，不能大而空，必须高度学术化、专业化，直击教授的学术研究中最能让其心动的一点。

4. 硕士项目和博士项目的奖学金如何

一般而言，硕士项目普遍不提供奖学金（但如果申请者所展示出的自身经历出类拔萃，也可能拿到一定的奖励）。而博士项目普遍有奖学金，但后者的申请难度也比前者高出很多。

但切记，奖学金一定不是大家考虑读硕读博的首要因素，选择什么样的学位，还是要依照申请者对未来职业的规划以及现阶段的实力。

另外需要注意的是，一些项目可能只设置了单独的硕士或者博士项目，而不是两个项目同时开放。例如在 2016 年辅导学员申请人类学专业的时候就因为开放人类学硕士项目的学校在前 30 所名校中只有 5~6 所，所以我们也帮助学员酌情申请了一些东亚研究等相关专业。

申请遇到面试，不要慌

辛辛苦苦选校、好不容易联系上教授、多方求助写好文书、仔细再三填好网申，终于松了一口气，忽然接到面试通知，大家应该是崩溃的。但只要提前准备，面试不仅不会成为拦路虎，反而会是申请路上最后冲刺的加速器。

1. 什么时候会遇到面试

不论是博士还是硕士申请都可能会遇到面试。以前，面试主要集中在背景优秀且希望申请奖学金的学生身上；而最近几年面试的范围变得更加广泛，甚至一些明确表示可以自费读书的学生也会接到面试通知。比如哥伦比亚大学 EE 专业的录取环节中也加入了面试环节，一些申请 EE 硕士的学生也因此在接到面试后无比惶恐。

接到面试，表示对方院校希望进一步了解学生，因此面试一般出现在对方院校在做出录取决定之前的最后时刻。因此，对被 Waiting List 上的学生而言，面试就是最后一搏的机会。

2. 面试的展开形式

面试主要通过视频（Skype）或电话的方式展开。部分学校还可能提出当面面试的要求。而对于经济和时间上都比较充裕，并且有充分准备的学生而言，主动要求去美国面见面试官也不失为一种积极主动的进攻方式。

考生将要面对的面试官主要是教授（对考生感兴趣的教授或录取委员会的教授）或者录取委员会的秘书。前者主要考察面试者的专业学术能力，后者主要考察考生的基本英语交流能力。

3. 面试中会问到的问题

(1) 第一大类：基本问题

这一类问题包括：自我介绍、对院校及专业的了解情况、对自己科研学术的期待和未来的规划等。这一类问题考生可以提前准备，但切忌泛泛而谈。与其空口大谈"passion""industriousness"，不如给出具体的、鲜活的证据。

(2) 第二大类：即兴问答

面试官在面试前会研读面试者的 CV、PS 或论文材料，也会在面试环节中提出自己对面试者的研究感兴趣的点。这些问题非常多变，但始终围绕考生提交的材料，这就要求考生对自己的材料高度熟悉（和中介一起准备文书材料的同学需要尤其注意）。

(3) 第三大类：面试者向面试官提问

面试官可能以不经意的口吻在面试最后五分钟说："Do you have any questions for me?"但考生却不能错失这个机会。在这个环节，考生可以主动发问，但切忌问一些细枝末节的问题，如"贵校对托福和 GRE 要求高吗？""录取的中国人多吗？"等等。在这个环节，面试者不能放弃任何一个展示自己特色和强项的机会，以问题的形式主动出击。

4. 面试中的禁忌

(1) 背模板

面试一定是需要提前准备逐字稿的，但很多同学在准备稿件时都没有注意到口语和书面语的切换，导致全篇从句，也有很多很难发音的词汇，这些都会在面试时极大地影响表达效率和清晰度。因此，考生一定要准备适合口语表达的书面逐字稿。

(2) 内容泛泛，无特色展现

面试官选中一个学生并给予他面试机会，就是看中了该生在申请材料中所展现出的特色，所以一定不要在面试中抹杀了自己的特色。"I chose this major because I really love it." "I would like to study at your university because my teacher recommended me so."诸如这般的表达都应该避免。相反，面试者应该尽量展现出自己的特色以及对院校及专业的高度了解。

5. 如何准备面试

(1) 准备好基本问题的逐字稿，注意表达的准确、单词发音和语音语调。

(2) 设想面试官可能会问到的关于自己专业背景的 10 个问题，准备高度专业化、具有个人特色的答案。

(3) 仔细研读对方院校及项目的特点，细化到教授的研究方向，准备好自己想问的 10 个问题，利用好绝地反击的机会。

扫描下方二维码，了解更多来自
考生的 GRE 备考与留学申请心得。